生命中可以沒有茶香，但，絕對不能缺少書香。

凱信企管

THE BEST SALES SKILLS

3分鐘一張訂單的終極銷售技巧

連百萬業務員都感嘆，沒早點學會太可惜！

前言

怎麼讓客戶對你的產品產生興趣？

怎麼讓客戶相信你這位陌生人？

怎麼讓客戶改變初衷而被你說服？

怎麼讓客戶作出購買產品的決定？

怎麼讓客戶不只買你的東西，還為你介紹客戶？

……

知人難，知人心更難，這就是我們要教所有業務員的行銷祕訣。

對於業務員而言，更可以說是「千難萬難」。縱觀那些成功的業務員，他們必定是懂得客戶購買心理的人。而那些業績優異的業務員，也必定是那種能在極短時間內準確把握客戶購買心理的人。

那怎樣才能知道客戶是否對產品有興趣，又如何解讀客戶的購買心理暗示呢？這些都是業務員要在工作中解決的問題。業務員要在和客戶交談的過程中，練就察言觀色、洞察人心的能力，要善於從客戶的衣著外表、言談舉止等細節上揣測客戶的消費心理。然後從客戶的需求出發，推銷客戶需要的產品，並為客戶提供滿意的服務然後將產品賣出去。

生活中，我們都知道這樣一個事實：你要想釣到魚，其中最重要的東西就是魚餌了。因為，不同種類的魚對於魚餌的喜好也不相同。由此，你就必須得站在魚兒的立場上去思考牠們喜歡吃什麼，這樣你才有可能釣得到魚。同樣的道理，作為一名業務員，你要想招攬客戶，就要站在客戶的角度思考問題，弄清楚客戶的心裡到底在想些什麼，這樣你才能更好地提升你的業績。

有人說，業務就是耍嘴皮子的工作。這種說法雖然有些偏激，但說話的技巧在很多時候確實決定了銷售的成功與否。所以，你要在摸透客戶購買心理的前提下，說客戶愛聽的話，讓客戶心裡感到舒服。同時你也要傾聽客戶的聲音，讓客戶滔滔不絕、情不自禁地說，讓客戶的「虛榮心」得到最大的滿足！如此牢牢抓住客戶購買心理，就不怕東西賣不出去了！

但是，在實際銷售當中，很多業務員卻都忽略了消費者購買心理這一重要環節，最終交易一定失敗。由此可見，只有那些窺見客戶內心的人才能立於不敗之地！因此，作為一名業務員，如果不學一點心理學，便很容易在與客戶「過招」的時候失手。

本書是結合實際銷售案例和最新客戶購買心理學研究成果的實用工具書，對業務員在銷售過程中的不同階段、消費者的不同心理以及業務員應該如何面對客戶等方面都作了詳細的介紹。透過本書，你可以明白客戶購買東西的微妙心理變化以及如何把握購買時機，讓他們掏錢購買你的產品。

所以，在銷售中，你想要提升你的銷售業績，就一定要懂得察言、觀色、攻心，真正明白心理學對業務工作的重要性，進而讓自己成為一名超級業務員。最後，我們一定要明確一點，那就是：買賣就是一場心理戰！行銷就是心與心的較量！業務員想要提高自己的業績，就必須要練就瞬間讀懂客戶購買心理的技巧，才能成為這場心理戰的贏家！

宋振赫

二〇一二年三月

目錄

Characther3

讀懂顧客的非語言信號——身體語言藏著8種心理學潛規則

Characther4

讀懂顧客性格——一眼看穿10種顧客類型，給他一個掏錢的理由

Characther5

贏的就是心態——銷售中常用的9種心理學策略

Characther6

把握心理戰術——你應當知道的8個心理學效應

Characther7

讀懂顧客消費心理——9個妙計拉近與顧客的心理距離

Characther8
▼

關注顧客重視的細節——8個細節，讓顧客和你做永久的生意

解讀購物奧祕——讀懂顧客的9種**心理需求**，做到投其所好

聰明的業務員擅長用熱情、細心、誠懇的態度對待客戶，往往會令客戶無法拒絕。即使被客戶多次拒絕，也要感激客戶給你機會，幫助你成長，這樣才更容易感動客戶。對於業務員而言，你想讓客戶從口袋裡掏錢，必須給客戶一個掏錢的理由。這個理由源自哪裡，源自客戶的內心！只有真正體會到客戶需求的業務員，才是真正的銷售高手。

▶技巧1

賣東西一定要瞭解客戶在想什麼

俗話說，要想釣到魚，就要像魚那樣思考，而不要像漁夫那樣思考。

一個專業的業務員，想提高自己的業績，就必須學會站在客戶的角度思考問題。但是，很可惜，現在有很多業務員不知道這一點，他們往往喜歡站在自己的立場思考問題，而不能像客戶那樣思考問題。

實際上，客戶在成交過程中會產生一連串複雜、微妙的購買心態，包括對商品成交的數量、價格等問題的一些想法及如何與你成交、如何付款、訂立什麼樣的支付條件等。客戶的購買心態對成交的數量甚至交易的成敗都有至關重要的影響，因此，優秀的業務員都懂得對客戶的購買心態進行分析。

客戶的購買行為是一個動態的、互動式的過程，並不是一成不變的，而且其購買決策的有效性會隨著客戶消費心理的變化而變化。業務員要針對不同的客戶需求採取適當的措施，更好地說服客戶，並激發客戶的購買欲望。

銷售實戰技巧▼

二十世紀四〇年代美國的八大財團中，摩根財團是名列前茅的「金融大家族」。可是老摩根從歐洲漂泊到美國時，卻窮得只有一條褲子。後來夫妻倆好不容易才開了一家小雜貨店。當客戶買雞蛋時，老摩根由於手指粗大，就讓他的妻子用纖細的小手去抓蛋，雞蛋被纖細的小手一襯托後就顯得大些，摩根雜貨店的雞蛋生意也因此興旺起來。老摩根針對人的視覺誤差，巧妙地滿足了客戶的購買需求。其後代子承父業，也深諳經營之道，終於成為富甲天下的「金融大家族」。

作為一名業務員，一定要瞭解客戶在想什麼。好的業務員在與客戶初步交談之後，就能判斷出客戶的購買意願，知道客戶對於該產品到底會不會買，如果買可能什麼時候買，業務員要依據客戶購買心理所處階段的不同而作出相應的反應，才能促使銷售行為按照自己的設置順利完成。

由於人的購買行為是受一定的購買動機或者多種購買動機支配的，所以研究這些動機就是研究購買行為的原因。掌握了購買動機，就好比掌握了成交的鑰匙。

歸納起來，客戶的消費心理主要有以下十一種：

❶ 求實心理

這是客戶普遍存在的心理動機，他們購物時，首先要求商品必須具備實際的使用價值，講究實用。有這種動機的客戶，在選購商品時，特別重視商品的品質，追求樸實大方、經久耐用，而不過分強調外形的新穎、美觀、色調、線條及商品的「個性」等等。

❷ 求美心理

愛美之心，人皆有之。有求美心理的人，喜歡追求商品的欣賞價值和藝術價值，以中青年人士和文藝界人士居多，在已開發國家的客戶中較為普遍。他們在挑選商品時，特別注重商品的造型美、色彩美，注重商品對人體的美化作用、對環境的裝飾作用，以便達到藝術欣賞和精神享受的目的。

③ 潮流心理

有的客戶購買物品注重「時髦」和「奇特」，為了趕上「潮流」。在經濟條件較好的城市年輕男女中較為多見，在西方國家的一些客戶身上也常見。

④ 超值心理

這是一種「物超所值」的購買動機，最重要的是「便宜」。有超值心理的客戶，在選購商品時往往要對同類商品之間的價格差異進行仔細的比較，還喜歡選購打折或處理商品。有些希望從購買商品中得到較多利益的客戶，對商品的花色、品質很滿意，愛不釋手，但由於價格較貴，一時下不了購買的決心，便討價還價。

⑤ 炫耀心理

這是以一種彰顯自己的地位和威望為目的的購買心理。他們多選購名牌，以此來「炫耀自己」。具有這種心態的人，普遍存在於社會的各階層，衣食住行選用名牌，不僅提高了生活品質，更是一個人身分、地位的展現。

⑥ 跟隨心理

這是一種跟隨式的購買動機，也就是「不落後」或「勝過他人」。他們對社會風氣和周圍環境非常敏感，總想要跟大家一樣。有這種心理的客戶，購買某種商品，往往不是由於急切的需要，而是為了趕上他人、超過他人，藉以求得心理上的滿足。

⑦ 偏好心理

這是一種以滿足個人特殊愛好和情趣的購買心理。有偏好心理動機的人，喜歡購買某一類型的商品。例如，有的人愛養花，有的人愛集郵，有的人愛攝影，有的人愛字畫等等。這種偏好性往往同某種專業、知識、生活情趣等有關。

8 自尊心理

有這種心理的客戶，在購物時，既追求商品的使用價值，又追求精神方面的高雅。他們在購買之前，就希望他的購買行為受到銷售員的歡迎和熱情友好的接待。經常有這樣的情況：有的客戶滿懷希望地進商店購物，一見店員的臉冷若冰霜就轉身而去，到別的商店去買。

9 疑慮心理

這是一種瞻前顧後的購物心理動機，這類人最怕「上當吃虧」。在買東西的過程中，他們對商品的品質、性能、功效持懷疑態度，怕不好使用、怕上當受騙。因此，反覆向業務員詢問，仔細地檢查商品，並非常關心售後服務工作，直到心中的疑慮解除後才肯掏錢購買。

10 安全心理

有這種心理的人對欲購的物品要求必須能確保安全。尤其像食品、藥品、清潔用品、衛生用品、電器用品和交通工具等，不能出任何問題。因此，他們非常重視食品的保鮮期，藥品有無副作用，清潔用品有無化學反應，電器用品有無漏電現象等。在業務員解說、保證後，才能放心地購買。

11 隱祕心理

有這種心理的人，購物時不願為他人所知，常常採取「祕密行動」。他們一旦選中某件商品，而周圍無旁人觀看時，便迅速成交。例如情趣用品、保險套、避孕藥等用品。

業務銷售祕訣▼

對於業務員而言，你想讓客戶從口袋裡掏錢，必須給客戶一個掏錢的理由。這個理由源自哪裡，源自客戶的內心！只有真正瞭解到客戶需求的業務員，才是真正的銷售高手。當然，把握客戶的消費心理不是一件很容易的事情，需要懂點心理學。想當業務員，不妨學習一些心理學知識，相信會對你的業績有大大的幫助！

▶技巧2

考慮的不是賺錢，而是如何打動人心

客戶永遠是為了自己的需求才會購買東西的，他當然不會是因為你才去購買一件商品。

如果想和一個客戶合作，就必須先考慮到這個客戶的私人需求是什麼。滿足了客戶的需求，再加上你的三寸不爛之舌，就能搞定了。所以精明的業務員都知道，賣東西的時候，首先考慮的不是賺錢，而是如何打動人心。

「服務客戶至上，追求利潤次之」，把顧客當上帝一樣，打動客戶的心，照顧好自己的客戶，客戶才會照顧你的生意。這些話歸納為經營理念就是「客戶是上帝」。對於業務員來說，只有把客戶當做自己的上帝，客戶才會買你的帳，你才能提高銷售業績。從心理學的角度來講，人們做任何事都是為了滿足其各種需求，當需求得不到滿足的時候，其內心就會處於「飢渴」狀態，迫切地希望能夠透過各種途徑加以彌補。

人的欲望是無限的，這些欲望包括物質方面的和精神方面的，而且二者是並存的。在物質需求得到滿足的同時，人們更希望得到心理需求的滿足。

渴望被人重視，這是人人都有的心理需求，作為消費者也不例外。因此這種心理需求正好給業務員推銷自己的商品帶來了一個很好的機會。渴望獲得重視的心理包含兩個方面，一方面是希望得到別人的認可和讚美，使自己獲得優越感；另一方面是不願意被人輕視，進而使自己顯得與眾不同，以吸引別人注意。

對於業務員來講，可以說是客戶創造了市場，因為一個企業的產品只有滿足了客戶的需求，才能符合市場的需求，從這個道理上講，客戶就是你的上帝。業務員可以利用客戶這一心理，巧妙地促使客戶購買自己的產品。

銷售實戰技巧▼

小趙和小李兩個人一同出去推銷自己公司的一種產品，他們先後都到過趙經理那裡去推銷。小趙先去的，他進門之後就開始滔滔不絕地向趙經理介紹自己的產品多麼多麼地好、如何如何地適合他，他不購買就等於吃虧等。這樣的話不僅沒有引起趙經理的興趣，反而讓他很反感，於是他很不客氣地把小趙轟走了。

等到小李又來的時候，趙經理知道他們推銷的是同一種產品，本來不願意見他，但是他又想聽聽小李是怎樣說的，於是就請小李來到他的辦公室。小李進來後沒有直接介紹自己的產品，而是很有禮貌地先說抱歉、打擾，然後又感謝趙經理百忙之中會見自己，還說了一些讚美的話，而對自己的產品卻只是簡單地介紹了一下。可是趙經理始終都是一副很冷淡的樣子，小李覺得這筆生意已經很難做成，雖然心裡多少有些失落，但他還是很誠懇地對趙經理說：「謝謝趙經理，雖然我知道我們的產品是絕對適合您的，可惜我能力太差，無法說服您。我想我應該告辭了。不過，在告辭之前，想請趙經理指出我的不足，以便讓我有一個改進的機會好嗎？謝謝您了！」

這時，趙經理的態度突然變得很友好、很和善。他站起來拍拍小李的肩膀笑著說：「你不要急著走，哈哈，我已經決定要買你的產品了。」

為什麼小趙前來推銷會被轟出去，而小李卻能夠成交？這就是一個滿足客戶購買心理需求的問題。小趙只是滔滔不絕地介紹自己的產品，而忽略了對客戶起碼的尊重和感謝；而小李卻始終對趙經理很恭敬、很有禮貌，特別是自己最後臨走時還請求客戶指教，這讓趙經理感受到了足夠的重視，進而從情感上對小李也表示了認同，自然也就促成了這筆交易。

因此，作為一名合格的業務員，你要明白一點，那就是無論從價值鏈還是市場和企業生存的角度去看，客戶都是上帝。希望賣東西給客戶，你就要把客戶當成「上帝」一樣對待。因此，要先明白上帝的想法——不僅你認為客戶是上帝，而且客戶自己也會這麼認為。

與渴望得到重視相對的，是害怕被人輕視。業務員透過反面刺激，也會達到欲揚先抑的效果。所以優秀的業務員有時要適時地、適度地說一些反面的話來刺激客戶的自尊心，引發他的自重感，這樣他可能會一狠心買下更貴的產品，以顯示自己是不容小看的。

聰明的業務員在面對這樣的客戶時，往往會故意先向他推薦較低價的商品：「先生，這款產品是最便宜的一款，很實惠。」結果客戶渴望被重視的心理需求沒有得到滿足，他反而會購買中價位的款式，以得到業務員的重視。這時候業務員再加上幾句「您真有眼光」、「這款最適合您不過了」等讚美的話，客戶會更加高興地付錢，而且可能下回還來買你的產品。

提出各種很挑剔的問題，有時並不是不想要你的產品，而是為了滿足自己是上帝的想法。你必須要對你推銷的產品有一個非常清楚的認識，要知道產品沒有十全十美的，所以客戶總能夠挑出毛病，在他們看來，你應該滿足他們的一切要求。如果客戶的要求合情合理，你當然應該照做，但如果對方的要求有不合理之處，就需要你使用一些推銷的技巧來應對了。當你面對這樣的客戶時，不妨試試以下技巧：

❶認真聽完客戶的要求再回答問題：

當客戶提出問題時，你必須認真地聽他說，哪怕客戶說到一半的時候你就知道不可能按照他的意思做，你也得用心聽完。只有這樣，你的客戶才能感受到被尊重。即使你下一步是委婉的拒絕，客戶也不會覺得你是在敷衍他，而是實在不能作出讓步。

❷即使否定客戶，你的態度也要謙虛：

作為業務員，要時時記住尊重你的客戶，要用謙虛的心態和禮貌讓你的客戶覺得你不但是推銷產品的專家，而且還是一個有修養的人，這樣客戶才能產生和你進一步溝通的想法，你提出的意見客戶也就比較容易接受了。

業務銷售祕訣▼

在和客戶交手的過程中，我們要明白客戶和我們想的不一樣。客戶關心的是你推銷的產品對自己有沒有利，自己花的錢能不能發揮最大的效益；業務員關心的是盡可能的提高產品的價格。如果兩者之間產生的利益衝突太大，結果必然是交易失敗，而這種情形是業務員一定要盡力避免的。

▶技巧3

人人都想享有「貴賓」待遇

客戶總是希望你能為他做一些「特殊」的安排，特別關照他們，滿足他們的需求。

「Very Important Person」譯成中文就是「高級會員、貴賓」，縮寫為「VIP」。這是一些商家鑒於競爭激烈，而想出的經營手段。凡是成為某個商家VIP會員的人，就可以享受到一些特有的優惠或者折扣，VIP會員還有消費回饋、聯誼活動、免費停車等特殊權利。不僅如此，有時人們辦一張VIP會員卡為的不是得到更多的實惠，而是一旦成為哪個商家的VIP會員，會覺得自己特別有面子，可以說VIP已經成為一種身分和地位的象徵。

事實上，客戶總是希望你能為他做一些「特殊」的安排，特別關照他們，更好地滿足他們的需求。這個特殊的地方也許就是客戶的「關鍵點」！當我們用所謂的「規定」來拒絕客戶時，也許客戶已經做好了「另選他家」的決定。事實上也必然是這樣的，當你滿足了客戶看似「無禮」的要求，客戶對你的印象馬上就會提升到一定的高度。即使結果不是很樂觀，讓他看到你的誠意，也許你還能獲得他的長期信任。

銷售實戰技巧▼

杜小姐經常去一家商務會館消費，於是，會館的經理向杜小姐推薦了VIP會員卡。杜小姐考慮了一下，覺得比較划算，就馬上辦理了一張會員卡。一次，杜小姐請幾個客戶在那家會館吃飯。吃完後杜小姐去前臺結帳，她出示了自己的會員卡。服務員接過去一看，是老闆簽字的會員卡，立刻滿面笑容，不僅酒水按七折算，海鮮也打了八折，這讓她省了不少錢。而且後來經理還親自送來一盤水果，說是算自己請客，希望他們下次光臨。這讓杜小姐覺得自己在客戶面前很有面子。

人人都有虛榮心，有人說，你有VIP卡，就說明你有消費能力。現在越來越多的商家為客戶辦理VIP卡，用打折、積分和優惠等活動來吸引客戶消費，同時給予客戶實惠。VIP卡的形式已經從商場擴展到各種各樣的小商戶，其種類也是各式各樣。據調查，百分之二十三持有VIP卡的人在辦理的時候都是為了滿足虛榮心，百分之二十六的人是因為商家推銷而辦理的，還有百分之十五的人是抱著「別人有我不能沒有」的心態辦理VIP卡的。這個調查說明，你的客戶都想要得到VIP待遇，而推銷成功與否，要看你怎樣應對客戶的這種心理。

正所謂客戶就是「上帝」，作為「上帝」，他們當然希望你能給他們關懷和實惠。不要只把「上帝」放在嘴邊，而是將實惠落實到實處才行。

業務銷售祕訣▼

銷售的目的不只是為了將產品賣出去，更重要的是讓客戶從購買行為中獲得價值感，即讓消費者對自己購買的產品感到滿意，感覺自己的購買抉擇是明智之舉。

▶技巧4

客戶對業務員都會有警戒心理

首先讓客戶信任你，消除他的顧慮和擔憂是非常重要的。

世界汽車推銷之神喬·吉拉德曾經說過這樣一段話：「要想到客戶購買汽車的錢是他們辛苦苦賺來的，他們大多是不富裕的上班族，他們很多人把買車看成一生最大的一筆投資，他們希望自己的錢花得值得，他們希望自己的購買行為被別人看做明智的選擇。所以，客戶會怕你，害怕你欺騙他們，而這樣一來很多行騙的故事更加深了客戶對於推銷人員的不信任感。因此，首先讓客戶信任你，消除他的顧慮和擔憂是非常重要的。當客戶信任你了，購買到你為他推薦的產品，享受到你為他提供的良好的服務之後，他會喜歡上你，會把你的產品和服務到處傳頌。於是你的口碑建立起來了，你的銷售之路也將越來越寬。」

當你想說服對方時，如果對方的態度變得慎重，表示他產生了警戒之心。遭遇對方警戒心的阻礙，這種情形在初次見面是無可避免的。但是，有時熟人也會有這種表現，當他發現你懷有某種目的時，自然而然便會產生警戒心。此時，你正和一位戴著面具的人說話，對方隔著一道面具，你無法看清他的表情，不知他態度如何，所以你就無法採取良好的應對方法。但是，如果因為對方戴著面具而放棄了進一步接觸的念頭，那便是不戰而敗。

對方有警戒心，雖然不利於說服，但是未察覺對方的警戒心，繼續說服，那就變成了自娛自樂，對方不僅戴著面具，而且還背向著你，緊鎖心扉。這就像一個人身上包上了一個護盾，這就像一道防火牆，這時任何對他的言語都會被這層護盾接收，而無法進去他的內心世界。所以說在跟客戶進行接觸時，首先必須破解顧客的心裡護盾，才能有進一步的成交可能。因此，進行說服之前，必須仔細觀察對方的言行舉止，判斷他是否有警戒心才行。

抱持警戒心的人，一般不喜歡表露自己的心事，所以打招呼或說話的態度都是冷冰冰的。可是有時候，他們的態度又會顯得直截了當，其實他並非輕視你，只是因為過於警戒，所以言語索然無味，給人敷衍了事的感覺。談話時，一直很順利、很投機，可是突然改變態度，變得很親切，而口氣卻嚴肅地答道：「我知道，我知道，你要說的我都知道，回公司後，我會仔細再斟酌。」結果你期待的答覆無疾而終，這就是對方在談話的途中將面具戴上的結果。

神經質的人，警戒心也很強，為了掩飾自己的警戒心，言語便會變得模稜兩可。於是說話時，常常在一句完整的話中加入一些語意不明的詞句，如「話雖如此」、「無論如何他還是……」、「雖然……但是……」等，使人無法瞭解他的真正意思是什麼。如果對方經常用這類詞句，而且又一再重複，慎重選擇每一個字句，說話速度變慢，這些現象都表示他的警戒心已到達極點。

根據一位從事貿易的外國朋友說，他在中國進行生意洽談時，閉著眼睛聆聽對方的口氣，比透過翻譯者傳達的意思更能瞭解對方的真正意思。因為我們的語言和英文不同，速度方面也有差別，當我方的負責人語氣緩慢下來時，表示警戒心逐漸升起。

另外有一種更令人困擾的情形就是，對方幾乎不表示意見，無論你說什麼，他只是回答：「是的，你說得有道理。」這種情形表示他正在找尋你的漏洞或你所設置的「陷阱」。

通常，如果沒有特別的情況，我們是不會對家人、朋友、同事產生警戒心的。而對於初次見面的人，多少總有些警戒心。這是因為尚未瞭解對方，所以才會對他懷有警戒心，一旦投機之後，警戒心立即消失，並且會說道：「既然你這麼說，那我就盡力試試看。」在很自然的情況下接受對方的要求，這正是說服者比說服內容重要的證明。

但是，如果對方和自己不投機，則情況完全相反的，警戒心不但不會消失，反而還會加強。根據美國的調查統計，讓新進職員以十分為滿分評價上司，同時也以十分為滿分讓上司評價自己的下屬，以瞭解雙方的觀感。結果，兩份實驗報告顯示分數十分接近，這正是表示雙方溝通的程度非常一致。

為了突破堅強的心理障礙壁，以便順利進行說服，必須深入對方的深層心理，讓對方對你產生好感，這才是最重要的。

業務銷售祕訣▼

業務員在工作當中需要注意的是，無論客戶有什麼樣的情緒，你都要注意去營造緩和的溝通氣氛，千萬不要讓客戶在憤怒中結束與你的談話。

每個客戶都害怕被騙

在銷售的過程中怎樣迅速有效地消除客戶的疑慮，對業務員來說是十分必要的。

在銷售的過程中存在著這麼一個問題，即客戶對業務員大多存有一種不信任的心理。他們認為從業務員那裡所獲得商品的各種資訊，往往包含著一些虛假的成分，甚至存有一些欺詐的行為。

在銷售的過程中怎樣迅速有效地消除客戶的疑慮，對業務員來說是十分必要的。因為聰明的業務員都知道，如果不能夠從根本上消除客戶的疑慮，交易就很難成功。

客戶之所以會產生疑慮，很可能是以往曾經受騙，或者買來的商品不能滿足他們的期望，也可能是從新聞媒體上看到過一些有關客戶利益受到損害的案例。

所以，他們往往對業務員心存戒備，尤其是一些上門推銷的業務員，在他們的心裡更是不受歡迎的人。

一位超級業務員曾說過：作為業務員，你不是要打動客戶的腦袋，而是要打動客戶的心。因為心是離客戶錢包最近的地方，是客戶的感情，腦袋則是客戶的理智，也就是說合格的業務員要透過打動客戶的感情，讓客戶產生購買的慾望。

的確，現在社會上存有騙子，許多人深受其害。而騙子的行騙方法可能會仿效業務員的推銷方式，所以客戶看到業務員就很容易想起被騙的痛苦經歷，他們會認為業務員幾乎都是騙子，於是在潛意識中有些排斥業務員，怕的就是被騙。

銷售實戰技巧▼

「這件衣服多少錢?」

「三百塊?」

「這麼多,太貴了,一百五十塊錢吧?能賣的話就買,不能賣就算了。」

「小姐,你太會殺價了,這樣的價錢我一分錢都沒有賺到。看你挺有誠意的,就一百八十塊吧,少了我真的賣不出去了。」

「就一百五十,多了我也不要了。」

「好啦好啦,就一百六十吧,讓我也賺十塊錢的車費。」

「不行,就只能給你一百五十,一分錢都不能多。」

「小姐,你的嘴真厲害,行,就一百五十吧。」商家邊說邊把衣服給客戶裝起來。

像這樣的對話我們時常能聽到,不僅能聽到,有很多時候我們自己也在進行著這樣的事情——殺價。

從心理學的角度來看,客戶就是因為怕自己受騙,所以盡可能地壓低價格以保護自己的利益。說穿了,客戶還價還是因為怕被騙。即使你報出底價,客戶也會認為你賺很多。讓客戶產生這種心理的原因在於有些促銷做得過頭,比如原價一萬元的產品,沒幾天就優惠到二千元,或者隨便找個理由就打個八折。此時客戶就會想:一定是產品本來就值幾百塊,不然怎麼會降這麼多?看來他們平時賺了客戶不少錢,我一定不能被騙。客戶一旦產生了這種心理,就會產生你的價格越低,他反而越懷疑的現象。你只要瞭解客戶的這種心理,那麼你就會對客戶的殺價習以為常了。

客戶要的是品質好的產品，同時還要感覺自己買得實惠。如果客戶剛從你手上買了產品，到你的競爭對手那裡一看，你賣給他的東西只要一半的價格就可以買到，你就完了。

當業務的不要急於求成，你說得越多，客戶反而越懷疑，曾經被騙的經歷會讓他們對眼前的你產生不信任的感覺。你一定要想辦法消除客戶的心理障礙，讓自己成為客戶的朋友，這樣客戶才會和你合作。通常，客戶怕被騙的心理會讓你們的溝通產生障礙，但同時也會給你帶來機會。這種客戶常常是想買產品的，但是他們總希望你能把價格降了再降，所以會找同類商品如何優惠的說辭來刺激你。你要告訴客戶他買你的產品能獲得什麼好處，以此來減輕他的顧慮。如果有什麼優惠活動，也要提前通知客戶，把利益的重點放到客戶身上，讓客戶覺得自己獲得了實惠而不是被騙。

有一部分客戶是擔心商品的品質或功能，對商品沒有足夠的信心。此時，你不妨直接對客戶說出產品的缺點，這比客戶自己提出來要好得多。首先，客戶會對你產生信任感，覺得你沒有隱瞞產品的缺點，是個誠實的人，這樣他就願意與你進一步交流；其次，客戶會覺得你很瞭解他，把他想問而未問的話回答了，他的疑慮就會減少；最後，業務員主動說出商品的缺點，這樣可以避免和客戶發生爭論，交易就容易完成。

所以業務員一定要巧妙地去化解客戶的疑慮，使客戶放心地去買自己想要的商品。疑慮是心與心之間的一條鴻溝，填平它，業務員才能到達成功交易的彼岸。業務員在銷售的過程當中，要使客戶覺得自己所購買的商品物有所值。首先需要做的就是向客戶保證，他們決定購買的動機是非常明智的，錢也花得很值；並且，購買你的產品是他們在價值、利益等方面作出的最好選擇。

業務銷售祕訣▼

對於客戶來說，他們需要的是物有所值的物品，但是就算他們對某件物品很喜歡，身為業務員你也不能因為客戶喜歡就漫天開價。也許客戶確實是因為喜歡那件商品，購買的時候很爽快，也許等他冷靜下來之後再回想，他就會感覺到自己上當受騙了，那時你就會失去這個客戶。並且他會把他的經歷到處說，到時候你的口碑就會變差，你失去的就不僅僅是這一個客戶了。

▶技巧6

客戶的「跟從」心理

社會心理學家研究顯示，跟從行為是一種普遍的社會心理現象。

社會心理學家研究顯示，跟從行為是一種普遍的社會心理現象。這種行為既是一種個體行為，也是一種社會行為；既受到個人觀念的支配，也受到社會環境的影響。跟從現象產生的基本原因是個人認識水準的局限性和社會公眾的壓力。

「跟從」是一種比較普遍的社會心理和行為現象。也就是人們常說的「人云亦云」、「隨波逐流」。大家都這麼認為，我也就這麼認為；大家都這麼做，我也就跟著這麼做。跟從心理在消費過程中，也是十分常見的，因為好多人都喜歡湊熱鬧，當看到別人成群結隊、爭先恐後地搶購某商品的時候，也會毫不猶豫地加入搶購行列。

銷售實戰技巧▼

一位石油大亨到「天堂」參加會議，一進門就發現會議室座無虛席，根本沒地方坐。於是他喊了一聲：「『地獄』裡發現了石油！」於是，在座的所有大亨們都向「地獄」跑去。最後，只剩下這個石油大亨站在那裡了。他站了一會兒，覺得不對勁兒，心想莫非「地獄」裡真的發現了石油？我可不能錯過這個機會。於是，他也匆忙向「地獄」跑去。

這個笑話說的就是這種無處不在的羊群效應。不管是在生活中，還是商業活動中，幾乎人人都有這種跟從心理。這種心理當然也給業務員推銷自己的商品帶來了便利。業務員可以吸引客戶的圍觀，製造熱鬧的行情，以引來更多客戶的參與，進而製造更多的購買機會。例如，業務員經常會對客戶說：「很多人都買了這一款產品，反應很不錯。」「社區很多像您這樣年紀的媽媽都在使用我們的產品。」這樣的言辭就巧妙地運用了客戶的跟從心理，使客戶心理上得到一種依靠和安全保障。

即使業務員不說，有的客戶也會在業務員介紹商品時主動問道：「都有誰買了你們的產品？」意思就是說，如果有很多人用，我就考慮考慮。這也是一種跟從心理。

利用客戶隨波逐流的心理又稱為「推銷的排隊技巧」。比如，某商場入口處排了一條很長的隊伍，從商場經過的人就很容易加入排隊的隊伍中。因為人們看到此類場景時，第一個念頭就是：那麼多人圍著一種商品，一定有利可圖，所以我不能錯失機會。這樣一來，排隊的人就會越來越多。但事實上，這些人中真正有購買意願的沒有幾個，人們不過是在相互影響，既然客戶有這種心理，業務員就應該利用客戶的跟從心理來營造購買氛圍，進而達到讓整群人都接受產品的目的。

銷售實戰技巧▼

日本有位著名的企業家，名叫多川博。他因為成功地經營嬰兒尿布，使公司的年銷售額高達七十億日元，並以百分之二十的業績增長速度成為世界聞名的「尿布大王」。

在多川博創業之初，他創辦的是一個生產雨衣、泳帽、防雨斗篷等橡膠製品企業。但是由於公司泛泛經營，沒有特色，銷量很不穩定，曾一度面臨倒閉的困境。在一個偶然的機會，多川博從一份人口普查表中發現，日本每年出生約二百五十萬個嬰兒，如果每個嬰兒用兩片尿布，一年就需要五百萬片。於是，他決定專業化生產尿布。

尿布生產出來了，而且是採用新科技、新材料、高品質。公司花了大量的精力去宣傳產品的優點，希望引起市場的轟動，但是在試賣之初乏人問津，生意十分冷清，幾乎到了無法繼續經營的地步。多川博先生萬分焦急，經過苦思冥想，他終於想出了一個好辦法。他讓自己的員工排成長隊來購買自己的尿布，一時間，公司店面門庭若市，幾排長長的隊伍引產生路人的好奇：「這裡在賣什麼？」「什麼商品這麼暢銷，吸引這麼多人？」如此，也就營造了一種尿布暢銷的氛圍，於是吸引了很多「跟從型」的買主。隨著產品不斷銷售，人們逐步認可了這種尿布，買尿布的人越來越多。後來，多川博公司生產的尿布還出口他國，在世界各地都暢銷開來。

尿布的暢銷就是利用客戶的跟從心理打開市場的，但是前提是尿布的品質好，在被客戶購買後得到認可。因此銷售最終還是要以品質贏得客戶，而利用其心理效應只是一個吸引客戶的手段。客戶在消費過程中的跟從心理有很多的表現形式，而威望效應就是其中一種。例如，現在很多公司、商家的產品都會花高價請明星來代言產品、做廣告，以引起客戶的注意和購買。

還有，我們都見過在大街上發產品宣傳單的情景，仔細觀察你就會發現，某人在發傳單，如果有一群人從他身邊經過，只要一個人不要他的宣傳單，那麼其他的人都不會要；只要一個人接了他的宣傳單，其他人就是你不給他，他也會主動要。在櫃檯促銷中也會遇到這樣的情況，如果有一個人買，圍觀的人大都會買；如果沒人買，大家就都不會買。造成這種狀況的根本原因就是客戶的跟從心理，人們在許多情況下都會看眾人的行動而行動。

業務銷售祕訣▼

從心理學角度講，客戶之間的相互影響力要遠遠大於業務員的說服力。因為在生活中間，人們更加容易信賴身邊的人，而不是那些總想著掏光自己口袋的業務員。跟從心理的優勢也正在於此！但是，對那些個性較強、喜歡自我表現的客戶，則不太適宜使用此招數。因為對他們用這招非但不能達到目的，甚至還會產生一定的反作用，失去這個客戶。

▶技巧7

人人都想買物美價廉的東西

物美價廉永遠是大多數客戶追求的目標。

怎樣才能讓客戶感受到他所購買的商品是物美價廉的呢？最好的方法就是促銷、降價或者回贈物品。此時的商品價格相對於平時來說就低了一些，於是客戶就會抓住這一機會大量購買，透過與平時同類商品的比較來獲得更大的滿足。

黃老師是一所學校的老師，每年教師節的時候，學校附近的一家商店都會贈送教師一些禮物，有時候是牙刷，有時候是一些沐浴用品。黃老師就這樣成為該商店的常客。

走在大街上，「某某商場大促銷，所商品一律五折」。不時有這樣的橫幅映入我們的眼簾，或者就是一些服務員向過往的行人發有送傳單。這些都是商家利用客戶享受優惠心理的銷售手段。

雖然每個客戶都有享受優惠的心理，但是又都有一種「無功不受祿」的心理，所以精明的銷售員總是能利用人們的這兩種心理，在未做生意或者生意剛剛開始的時候拉攏一下客戶，送客戶一些精緻的禮物或請客戶吃頓飯，以此來提高雙方合作的可能性。

享受優惠是人們心理喜歡的，我們在日常生活中經常會遇到這樣的現象。例如，某某超市打折了，某某廠家促銷了，某某商店拍賣了，人們只要一聽到這樣的消息，就會爭先恐後地向這些地方聚集，以便買到便宜的東西。

物美價廉永遠是大多數客戶追求的目標，很少聽見有人說「我就是喜歡花多倍的錢買同樣的東西」。人們總是希望用最少的錢買最好的東西，這就是人們享受優惠心理的一種生動表現。

我們說享受優惠也是一種心理滿足。客戶會因為用比以往便宜很多的價錢購買到同樣的產品而感到開心和愉快。業務員其實最應該懂得客戶的這一心理，用價格上的差異來吸引客戶。

有這樣一個故事：

銷售實戰技巧▼

古時候有一個賣衣服和布匹的店鋪，鋪裡有一件珍貴的貂皮大衣，因為價格太高，一直賣不出去。後來店裡來了一個新夥計，他說他能夠在一天之內把這件貂皮大衣賣出去。掌櫃不信，因為衣服在店裡掛了一兩個月，人們只是問問價錢就搖搖頭走了，怎麼可能在一天時間裡賣出去呢？

但是夥計要求掌櫃的要配合他的安排，他要求不管誰問這件貂皮大衣賣多少錢的時候，一定要說是五百兩銀子，而其實它的原價只有三百兩銀子。

二人商量好以後，夥計在前面打點，掌櫃的在後堂算帳，一上午基本沒有什麼人來。下午的時候店裡進來一位婦人，在店裡轉了一圈後，看好了那件賣不出去的貂皮大衣，她問夥計：「這衣服多少錢啊？」

夥計假裝沒有聽見，只顧忙自己的，婦人加大嗓門又問了一遍，夥計才反應過來。他對婦人說：「不好意思，我是新來的，耳朵有點不好。這件衣服的價錢我也不知道，我先問一下掌櫃的。」

說完就沖著後堂大喊：「掌櫃的，那件貂皮大衣多少錢？」

掌櫃的回答說：「五百兩！」

「多少錢？」夥計又問了一遍。

「五百兩！」

聲音很大。婦人聽得真真切切，心裡覺得太貴，不準備買了。

而這時夥計憨厚地對婦人說：「掌櫃的說三百兩！」

婦人一聽頓時欣喜異常，認為肯定是小夥計聽錯了，自己少花二百兩銀子就能買到這件衣服，頓時心花怒放，又害怕掌櫃的出來就不賣給她了，於是付過錢以後匆匆地離開了。

就這樣，夥計很輕鬆地把滯銷了很久的貂皮大衣按照原價賣出去了。

店夥計就是利用了婦人的佔便宜的心理，成功地把衣服賣了出去。業務員在推銷產品的時候，可以利用客戶的這種心理，使用價格的懸殊對比來促進銷售。其實很多世界頂尖的業務員的成功法則中，利用價格的懸殊對比來俘獲客戶的心是常用的一種方法。

優惠是推動銷售最有效的方法之一，所以優惠政策就是你抓住客戶的一種推銷方式。大多數客戶都只看你給出的優惠是多少，然後和你的競爭對手做比較。如果你沒有讓客戶覺得有優惠，客戶可能就會離你而去。所以你不僅要注重商品的品質，還要注意滿足客戶這種想要優惠的需求。

但是，優惠不過是一種手段，在優惠的同時，你還要傳達給客戶一種資訊：優惠並不是天天有，你很幸運。這樣，客戶的心裡才會更滿足，他們才會更願意與你合作。

即使你推銷的產品在某方面有些不足，你也可以透過某些優惠讓他們滿意而歸。如果客戶對你的產品提出意見，你千萬不要直接否定客戶，要正視產品的缺點，然後用產品的優點來彌補這個缺點，這樣客戶就會覺得心理平衡，同時加快自己的購買速度。比如客戶說：「你的產品品質不好。」這時你可以這樣告訴客戶：「產品確實有點小問題，所以我們才優惠處理。不過雖然是有問題，但我們可以確保產品不會影響使用效果，而且以這個價格買這種產品很實惠。」這樣一來，你的保證和產品的價格優勢就會讓客戶產生購買的欲望。

利用價格的懸殊差距來進行推銷確實會產生很好的效果，但在使用時一定要注意方式和分寸，既要滿足客戶的心理，又要確保讓客戶實實在在得到實惠，這樣才能夠保持和客戶長久的關係，實現互惠互利。

業務銷售祕訣▼

業務員中流傳著這樣一句話：客戶要的不是便宜，而是要感到占了便宜。客戶有了佔便宜的感覺，就容易接受你推銷的產品。在市場上你也不難發現這樣一種情形，一旦某種以前很貴的商品開始促銷，人們就覺得買了很實惠。

▶技巧8

掌握客戶你不賣而他偏要買的心理

人人都有逆反心理，別人告訴你「不准看」，你就偏偏要看。

人人都有逆反心理，別人告訴你「不准看」，你就偏偏要看。你的欲望被禁止的程度越強烈，抗拒心理也就越大。所以，業務員不妨深層次地研究一下這種心理傾向並善加利用，不但能把那些「頑固」的客戶軟化，還能讓他們對你的態度發生一百八十度的轉折。

在消費行為過程中，我們也經常能夠發現這樣的情形，業務員越是苦口婆心地把某商品推薦給客戶，客戶就越會拒絕。

是什麼因素導致客戶產生逆反心理的呢？例如，當客戶對於某商品特別感興趣的時候，想要摸摸質地，而這時業務員過來說：「不好意思，我們的樣品是禁止觸摸的！」這時客戶的心裡立刻會變得反感：有什麼好的，不摸就不摸！於是扭頭就離開了。這就是客戶對商品的強烈的好奇心受到了阻礙，進而導致客戶的心理逆反。

例如，在實際銷售案例中，很多業務員往往為了儘快簽單，而一味窮追猛打，以為透過密集轟炸就可以把客戶搞定，但是這樣很有可能會產生相反的效果，令客戶產生警惕心理：因為在與客戶初次接觸的時候，客戶常常懷有戒備之心，如果此時只是一味強調產品是如何如何好，如何如何實用，客戶反而會更加警惕，因為害怕受騙而拒絕接受。

客戶的逆反心理在消費過程中會有以下幾種表現形式：

❶ 反駁

客戶往往會故意針對業務員的說辭提出反對意見，讓業務員知難而退。

❷ 不發表意見

在業務員苦口婆心地介紹和說服的過程中，客戶始終保持緘默，態度也很冷淡，不發表任何意見。

❸ 高人一等的作風

不管業務員說什麼，客戶都說「我知道」，意思是說，我什麼都知道，你不用再介紹。

❹ 斷然拒絕

在業務員向客戶推薦時，客戶會堅決地說：「這件商品不適合我，我不喜歡。」

很多業務員不懂得客戶的逆反心理，在銷售過程中，總是片面地、滔滔不絕地介紹產品，而不顧客戶的感受，結果只能是一次又一次地遭受到客戶的拒絕。

銷售實戰技巧▼

愛德華先生的轎車已經用了很多年，經常發生故障，他決定換一輛新車。這一消息被某汽車銷售公司得知，於是很多的業務員都來向他推銷轎車。每一個業務員來到愛德華先生這裡，都詳細介紹自己公司的轎車性能多麼地好，多麼地適合他這樣的公司老闆使用，甚至還嘲笑說：「你的那台老車已經破爛不堪，不能再使用了，否則有失你的身分。」這樣的話無疑讓愛德華先生心裡特別反感和不悅。

業務人員的不斷登門，讓愛德華先生感到十分煩躁，同時也增加了他的防禦心理，他心想：哼，這群傢伙只是為了推銷他們的汽車，還說些不堪入耳的話，我就是不買，我才不會上當受騙呢！

不久又有一名汽車業務員登門造訪。愛德華先生心想：不管他怎麼說，我也不買他的車，堅決不上當。

可是這位業務員只是對愛德華先生說：「我看您的這部老車還不錯，起碼還能再用上一年半載的，現在就換未免有點可惜，我看還是過一陣子再說吧！」說完給愛德華先生留了一張名片就主動離開了。

這位業務員的言行和愛德華先生所想像的完全不同，而他之前的心理防禦也一下子失去了意義，因此其逆反心理也逐漸地消失了，他還是覺得應該給自己換一輛新車。於是一週以後，愛德華先生撥通了那位業務員的電話，並向他訂購了一輛新車。

逆反心理既會導致客戶拒絕購買你的產品，相反也會促使其主動購買你的產品。例子中的業務員就是從相反的思維出發，消除客戶對業務員的逆反心理，進而使他主動購買自己的產品。

逆反心理只是人們的一種與常規相反的意識，當業務員拒絕客戶購買某產品時，客戶反倒非要買來用用，結果是客戶自己說服了自己。

因此，業務員在向客戶推銷產品的時候，要學會刺激客戶，引發客戶的好奇心，讓客戶產生強烈的購買欲望，你不賣他就會非要買，便能使自己的銷售工作獲得成功。

業務銷售祕訣▼

在銷售過程中，當客戶的心理需求得不到滿足的時候，反而會更加刺激他強烈的需要。比如，人們往往對於自己越是得不到的東西越想得到；越是不能接觸的東西越想接觸；越是不讓他知道的事情越想知道。對於業務員而言，就看你能不能利用客戶這種心理，進而促成交易。

▶技巧9

客戶都渴望被關懷

巧用「感動」的力量，不僅能化解客戶的拒絕，更容易成就「連環銷售」。

「感動」敲的是「心門」，追逐心靈的震撼；而「打動」多靠利益，不求花言巧語。因此，當客戶拒絕與我們合作時，最巧妙的方法不是用利益去「打動」客戶，而是用真誠、熱情和耐心去「感動」客戶。「打動」僅是單一的利益驅動，錢盡情散。而一次「感動」，足以讓他人回味數載寒暑，一如漣漪，並會不斷地影響著他周圍的人。因此，巧用「感動」的力量，不僅能化解客戶的拒絕，更容易成就「連環銷售」。

對於銷售來說，客戶的滿意度是業務員最應該注意的事，而如何才能讓客戶滿意，環境因素也很重要的作用。讓客戶感覺溫馨、舒適的環境，會增加客戶的歸屬感，進而使其放鬆警惕，更容易和業務員打成一片，說出自己的真實想法和需要，並使彼此真誠以對，利於交易的順利達成。

消費者往往都有這樣的心理，那就是願意多花錢享受更好的服務，購買更好的商品，因為內心的滿足感會使其心甘情願地掏腰包。而環境也算是服務中的一個重要環節。這裡的環境包括大環境和小環境，大環境指的是進行交易的場所，如在商場、店鋪、客戶家中、辦公室、工廠或者咖啡館等，小環境則是業務員與客戶的洽談氛圍，如業務員是否積極熱情，說話是否得體，舉止是否得當等。比如，有的餐廳把用餐的環境設計的十分幽雅、舒適，播放著優美的音樂，服務生的態度熱情、禮貌，其目的就是讓客戶吃得舒服，吃得開心，下次再來。因此，對環境的設置也是很有必要注意的。讓客戶有一種賓至如歸的感覺，使客戶感到更多的舒適和自由，使其流連忘返，產生再次享受的欲望。

銷售實戰技巧▼

泰國的東方飯店是一家已有一百一十多年歷史的世界性的大飯店。而這家飯店這麼多年以來，幾乎天天客滿，不提前一個月預訂很難有入住的機會。一個飯店能經營到這種程度，自然有其特殊的經營祕訣。因為飯店對每一個入住的客戶都給予最細緻的關懷和重視，為客戶營造了最舒適的、最體貼的環境和氛圍，讓客戶流連忘返。

除了飯店的住宿、餐飲、娛樂等消費的大環境讓人倍感舒適和享受以外，具體的服務小環境也讓人備感溫馨和體貼。比如，一位史寮斯先生入住了這家飯店，早上起床出門，就會有服務生迎上來：「早安，史寮斯先生！」不要感到驚訝，因為飯店規定，樓層服務生在頭天晚上要背熟每個房間客人的名字，因此他們知道你的名字並不稀奇。當史寮斯先生下樓時電梯門一開，等候的服務生就會問：「史寮斯先生，用早餐嗎？」當史寮斯先生走進餐廳，服務生就問：「史寮斯先生，要老座位嗎？」飯店的電腦裡記錄了上次史寮斯先生坐的座位。菜上來後，如果史寮斯先生問服務生問題，服務生每次都會退後一步才回答，以免口水噴到菜上。當史寮斯先生離開，甚至在若干年後，還會收到飯店寄來的信：「親愛的史寮斯先生，祝您生日快樂！您已經五年沒來，我們全飯店的人都非常想念您。」

這樣的環境和服務，讓客戶享受到了最舒適的體驗，也受到了最大的重視和關懷，因此，只要來過這裡的客戶，都會願意再次光顧。

這就是泰國東方飯店成功的祕訣之所在，對客戶給予最大的重視，為其提供最體貼的服務，為其創造最舒爽的環境和氛圍，進而緊緊地抓住了客戶的心。業務員也應該從這方面努力，利用環境的因素，對客戶造成一些有利的影響，促使交易朝著正面的方向前進。

在銷售過程中，不能僅僅注重硬體的銷售而忽略了軟體的銷售。優秀的品質與合適的價格等，這些都是影響銷售的硬體，而銷售的環境與氛圍則是影響銷售的軟體，如：銷售公司前臺的創意佈置、人員的合理安排、會客廳或會議室的裝修與佈置，這些都要與公司產品的價值相對應；員工的衣著與言談舉止都要進行訓練；店鋪環境與氛圍設計、產品的陳列佈置及廣告宣傳等硬體的資訊，都能夠讓客戶看到產品背後的實力以及公司的品味與素質，這對客戶最終的消費選擇會產生很大影響。

總之，環境和氛圍的設置和創造，也是銷售過程中的一個十分重要的環節，好的環境和氛圍會引導整個銷售向著有利的方向發展。

業務銷售祕訣▼

聰明的業務員擅長用熱情、細心、誠懇的態度對待客戶，往往會令客戶無法拒絕。即使被客戶多次拒絕，也要感激客戶給你機會，幫助你成長，這樣才更容易感動客戶。

打開顧客「心門」——銷售中你必須知道的10條心理定律

任何一個道理只要具備了普遍性，為眾人所接受，那麼它就成為了一條真理。銷售中就有許多種這樣的真理，它們是經過一代一代的成功業務員親身驗證過的，並且長期以來，這些真理都在銷售行業中流傳。只要你熟知了這些心理定律，對你的銷售工作肯定會產生事半功倍的效果。

二五〇定律：把自己當做商品

每位客戶的背後，都大約站著二五〇個人。把自己當做商品，推銷出去！

行銷理論多如牛毛，行銷專家層出不窮，不管這些差別的存在有多麼明顯，但有一點幾乎所有的行銷專家都認同——推銷產品之前首先要推銷自己！

在你的銷售工作中，你是不是感覺到有時候產品好像不是那麼重要，反而自己的推銷方法更重要？

事實確實是這樣的，人們從心理上首先接受的往往是業務員本身，然後才會考慮你的產品。這也是很多銷售行家的經驗。因此，一個業務員必須要學會推銷自己。

喬．吉拉德說：「推銷的要點是，不是在推銷商品，而是在推銷自己。」作為世界上最偉大的推銷員，他的祕訣就是在推銷產品之前先推銷自己。他在十多年的推銷生涯中，一直都堅守著二五〇定律。

所謂二五〇定律是指：每位客戶的背後，都大約站著二五〇個人，這是與他關係比較親近的人——同事、鄰居、親戚、朋友。所以，在任何情況下，都不要得罪哪怕是一個客戶。同時喬．吉拉德到處遞送名片，在餐館用餐付帳時，他要把名片夾在帳單中；在運動場上，他把名片大把大把地拋向空中。名片漫天飛舞，就像雪花一樣，飄散在運動場的每一個角落。你可能對這種做法感到奇怪。但喬．吉拉德卻認為，這種做法幫他做成了一筆筆生意。

因為他認為，自己給了別人名片，別人可以扔了它，但要是別人留下來了，那麼那個人就會看名片上的字，就會知道這個人是幹什麼的。而這樣的細節就使得喬．吉拉德把自己完全地推銷了出去。而當人們要買汽車時，自然會想起那個拋散名片的推銷員，想起名片上的名字：喬．吉拉德。這樣，成功的機會就來了。

❶ 推銷自己的意義

也許有人會認為，推銷員推銷的是產品，怎麼會是自己呢？只要自己的產品貨真價實，那麼就不怕沒有客戶購買。但事實果真是這樣嗎？

儘管這個世界上有些推銷員推銷的產品是有品質問題的，但是，我們應該相信，推銷員獨自一人去約見客戶，那麼他的產品肯定不會有問題，要不然，對於推銷員來說，肯定是自掘墳墓。但是在同樣的貨真價實的基礎上，有些人成功了，有些人卻失敗了，這是為什麼？

這主要在於這位業務員有沒有推銷自己，正像喬．吉拉德所說的：「推銷的要點是，不是在推銷商品，而是在推銷自己。」如果以這種理論來指導自己的銷售，相信每一個推銷員都會擁有自己的客戶。

❷ 推銷自己的技巧

我們要怎樣才能把自己當做商品一樣地推銷出去呢？可以試著從以下幾方面進行：

(1) 從微笑開始，業務員應把自己最好的形象展示給客戶：

中國是禮儀之邦，最講究待人接物。許多客戶首先看重的是業務員是否有教養，而不是產品本身。如果業務員還未向客戶說話，就露出笑臉，起碼客戶會給你一個表達機會。如果業務員哭喪著臉上門，客戶還會理你這個業務員嗎？

(2) 像喬・吉拉德一樣隨處散發自己的名片：

業務員最需要的就是客戶資源，但是客戶資源的多少取決於你是否認識足夠多的人。只有讓足夠多的人知道你，知道你是做什麼的，那麼他們就更願意從你這裡買他們所需要的商品。

(3) 業務員更需要誠實：

也許有些業務員為了訂單而不擇手段，欺騙的手段也不時地拿出來。但是這種業務員就算偶爾一兩次成功了，但絕對不會有第三次，因為客戶的眼睛是雪亮的。所以業務員在銷售的過程中就需要說實話，一是一，二是二。說實話對業務員只有好處，尤其是業務員所說的而客戶事後可以查證的事。

業務員不僅推銷產品，而且也推銷自己，只有把自己當做產品推銷出去，那麼客戶才會把你介紹給他身邊的每一個人。吉拉德教導我們，每一位客戶身後都會有二五〇個人，要是一位客戶就把你介紹給了二五〇個人，這二五〇個人又分別把你介紹給二五〇個人，如此反覆，你說你的客戶群有多大？

3 推銷自己時忌貶低同行業競爭者

事實上，絕大部分客戶反感業務員對同行業競爭者進行「貶低」。這樣做反而會影響你的形象，讓客戶覺得你的素質低下，而你所推銷的產品的品質也不會好到哪裡去。因為人都會有「同行是冤家」的心理，你越說「別人」不好，客戶越認為「別人」好，這就是「逆向思維」。所以，業務員在推銷產品時，絕不能對同行業競爭者品頭論足、隨意貶低。

❹推銷自己要多學一點相關知識

銷售是一門學問，包含的知識面非常寬廣。因為你要與不同職業和職務的人打交道，他們的性格也不一樣，所以業務員要不斷地學習、充實自己，多學一些相關的知識以應用到銷售工作中。比如學習「心理學」就能更好地體察客戶的微妙心理，更深層次地分析客戶的真實意圖。學習一些與業務結合緊密的基礎知識，不但能給你的談話帶來更廣泛的談話內容，還能顯示你的學識和內涵。

❺努力向高端發展，推銷自己的人格魅力

我們都知道，一個人最重要的不是擁有多少財富，而是人格魅力。作為一名業務員，我們必須明白：推銷的不僅僅是商品，更是一種精神。要讓客戶信任你，甚至「愛上你」、「崇拜你」……

業務銷售祕訣▼

人們從心理上首先接受的往往是推銷者本身，然後才會考慮你的產品。這也是很多銷售行家的經驗。因此，一個業務員必須學會推銷自己。吉拉德教導我們，每一位客戶身後都會有二五〇個人，要是一位客戶就把你介紹給了二五〇個人，這二五〇個人又分別把你介紹給二五〇個人，如此反覆，你說你的客戶群有多大？

二八定律：客戶內心的滿足感源自你的關懷

任何東西，最重要的部分，約占百分之二十。感動來自於那百分之二十！

二八定律也叫帕雷托定律，是十九世紀末二十世紀初義大利經濟學家帕雷托發明的。他認為，在任何一組東西中，最重要的只占其中一小部分，約百分之二十，其餘百分之八十的儘管是多數，卻是次要的，因此又稱二八法則。在推銷學中，「二八定律」是指：一個推銷員的成功是由他的客戶裡面百分之二十的人提供的，而其餘的百分之八十儘管人數很多，但卻不是很重要，而這百分之二十的人基本上就是該推銷員的老客戶。

在銷售中大部分人只知道去開發新客戶，卻不知道去鞏固老客戶。業務員如果只知道一味地去開發新客戶，而不知道維繫老客戶，那麼，業務員也將失去讓他成功的最有利因素。推銷員最好的方法就是對客戶多一些關懷。因為人人都渴望被重視及關懷，關懷就能維繫推銷員與客戶之間的感情。

有一位業務員，每次上門去推銷的時候，並不急著和客戶談「業務」，而是先詢問、關心一下客戶的家事。「老張，聽說你兒子住院了，最近他身體好些了嗎？」「小陳，你家蓋新房了，有什麼需要幫忙的儘管說一聲。」這讓這位業務員非常受歡迎。

業務員的一聲問候、一句關心、一件平常小事，就能給人一種親切感，讓客戶感覺推銷員就像關心自己的「親人」一樣關心自己，形如「一家人」，這無形中就增進了業務員與客戶之間的「親情」關係。

銷售實戰技巧▼

一次，一位中年婦女走進業務員喬．吉拉德的展銷室，說她想在那兒坐坐，打發一下時間。於是吉拉德就與她開始了交談，在閒談中，她告訴吉拉德她想買一輛白色的福特轎車，就像她姐姐開的那輛，但對面福特汽車的業務員讓她過一個小時再去，所以她就先到這兒來看看。她還說這是她送給自己的生日禮物：「今天是我五十五歲的生日。」

「生日快樂！夫人。」面對這種情形，吉拉德一邊說一邊請她進來隨便看看，接著出去交代了一下，然後回來對她說，「夫人，您喜歡白色的車，既然您現在有時間，我給您介紹一下我們的雙門式轎車，也是白色的。」

正談著，吉拉德的秘書走了進來，遞給吉拉德一束玫瑰花。吉拉德於是把這束花送給了那位中年婦女：「祝您生日快樂，尊敬的夫人。」

這位中年婦女被吉拉德這一舉動感動了，眼眶都濕了。「已經很久沒有人送我禮物了。」她說，「剛才那位福特汽車的推銷員一定是看我開了部舊車，以為我買不起新車。我剛要看車，他卻說要去收一筆款項，於是我就到這兒來等他了。其實我只是想買一輛白色車而已，只不過表姐的車是福特，所以我也想買福特。現在想想，不買福特也可以。」

最後她在吉拉德那裡買走了一輛雪佛蘭，並簽了一張全額支票。

其實從頭到尾，吉拉德的言語中都沒有勸她放棄買福特而買雪佛蘭的言辭。只是因為她在吉拉德這裡受到了關懷，轉而選擇了吉拉德的產品。

有時候，業務員對客戶的一點點關懷，就能夠得到客戶的信任與喜歡，那麼接下來的生意也就好做了。

但話又說回來，關懷客戶也不是隨意地去關懷，不然不會有好效果，還會讓客戶產生懷疑，到時候要想再接近客戶就難了。

那麼，業務員要怎樣去關懷客戶呢？

❶ 根據客戶的不同需要，提供針對性的關懷

像香菸業務員，可以傳授客戶一些雪茄保存知識；客戶在經營上失利時，給予一定的支援；客戶在情感上受挫時，給予一定的安慰；客戶碰到困難時，給予熱情的幫助……這樣的關懷都能拉近自己與客戶之間的距離，取得客戶的信任。

❷ 為客戶提供良好的售後服務

喬．吉拉德說，他賣出一輛車以後，要做三件事：服務、服務，還是服務。良好的售後服務是業務員獲得回頭客的主要原因，而良好的售後服務也是對客戶的一種最大關懷。售後服務做得好了，客戶必然會變成回頭客。

❸ 和客戶常保持聯繫

好的業務員可以不斷地從老客戶身上得到訂單，不僅如此，他還能從老客戶推薦的人身上得到訂單。所以，和服務過的客戶保持個人聯繫是非常重要的，時常給他們寫信，關心他們的

生活，問他們是否需要幫忙，問他們使用後的效果如何……這一連串的關懷帶給客戶的是心靈的溫暖，他們會認為，這樣的業務員才是真正關心自己的人，不買他們的產品又買誰的呢？

老客戶用過你的產品之後，他們就會知道你的產品品質怎麼樣，那麼你再去維繫與他們之間的情感就容易多了，因為產品已經替你做廣告了。而開發新客戶則沒有這種優勢，所以你花在新客戶身上的成本也就會更多。

業務銷售祕訣▼

「你越關心你的客戶，他們就越有興趣和你做生意。」關懷是一種自內心而發的真摯感情，情感的力量是強大的，有時候比商品本身、商業合作、交易規模都要重要。一旦客戶認定你是真心關懷他，真心為了他考慮，不管一些細節如何變換，他都會向你購買產品。

▶定律3

奧辛頓法則：你關照好客戶的心，客戶就關照你的生意

把客戶當上帝一樣，抓住客戶的心，客戶才會買帳。

奧辛頓法則是指：照顧好你的客戶，照顧好你的員工，那麼市場就對你倍加照顧。美國奧辛頓工業公司的上述經營理念，被人們稱為「奧辛頓法則」。

該定律認為，把客戶當上帝一樣，抓住客戶的心，照顧好自己的客戶，客戶才會關照你的生意，你就會獲得更大的市場。這些話歸納為一種經營理念就是「客戶是上帝」。對於業務員來說，只有把客戶當做自己的上帝，客戶才會買你的帳，你才能提高銷售業績。

銷售實戰技巧▼

沃爾瑪是世界上最大的零售連鎖店，它們的分店遍佈世界各地。但是在一九五五年的時候，沃爾瑪還是一家默默無名的小商場。沃爾瑪的成功，得益於其長期遵從的「客戶是上帝」的行銷戰略。戰略的核心就是以薄利讓客戶受益，以服務讓客戶滿意。

不管你走進哪裡的沃爾瑪，「天天低價」是最為醒目的口號。為了實現低價，創始人山姆·沃爾頓想盡了招數。其中重要的一個方法就是大力節約開支，避開中間商，直接從工廠進貨。統一訂購的商品送到配送中心後，配送中心根據每個分店的需求對商品就地篩

選、重新打包。這種類似網路零售商「零庫存」的做法使沃爾瑪每年都可節省數百萬美元的倉儲費用，為客戶省了錢，也為沃爾瑪帶來了好業績。

除了低價，沃爾瑪再一個引人注目的特點就是良好的服務。從一九六二年到一九九二年退休，山姆．沃爾頓引領公司飛速發展的三十年中，格外強調要提供「可能的最佳服務」。為了實現這一點，沃爾頓編制了一套又一套的管理規則。他曾要求職員作出保證：「當客戶走到距離你十英尺的範圍內時，你要溫和地看著客戶的眼睛，向他打招呼並詢問是否需要幫助。」這有名的「十英尺態度」至今仍是沃爾瑪職員奉為圭臬的守則。

以更低廉的價格提供比競爭對手更為優質的商品和更好的服務，是企業贏得客戶的第一步。但現代商戰獲勝的關鍵是要抓住「客戶的心」，這就意味著市場也將從「圍繞商品的戰鬥」轉向「圍繞感覺的戰鬥」，這種感覺的終點就是「感動客戶」。

把客戶當上帝就是要遵循客戶至上的原則，在這個基礎上再去追求利潤，業務員不管是在售前、售中還是售後，都要時時把客戶放在自己的心裡，只是放在心裡還不行，還要把客戶照顧好。那要怎樣才能照顧好的我們的客戶呢？

❶要研究客戶的需要

企業必須清楚客戶的需要，站在他們的立場去思考、去發現問題，並設計出合適的產品。客戶的需求是多樣的，有物質的也有心理的。現在是一個競爭激烈的社會，要想征服客戶，就要站在客戶的立場上去思考問題、解決問題，客戶會感覺到你是在為他著想。這樣，你就更容易接近客戶、打動客戶，在競爭激烈的市場中脫穎而出。假如你是一名房地產業務員，你向客戶推銷房子，客戶最關心什麼？價格、位置、物業服務、周邊環境、交通等。如果你能從這些方面為客戶考慮，你怎麼會賣不出房子呢？

❷ 生產超出客戶期望的產品

這就是企業的「貨幣」，也是實現向客戶「買」忠誠的前提。在這個過程中，企業不僅要優化自身產品結構，同時也要優化供應商的結構。客戶的需求是一定的，他有某種需求，他才會去購買相應的產品或者服務。那麼，身為推銷員的你就要牢牢抓住客戶的這點需求，把客戶最需要的產品或者服務賣給客戶。如果你只想著提高自己的銷售業績，不管客戶是否需要你的產品或者服務，強行把客戶用不上的產品推銷給客戶，那麼客戶必定是離你遠去。

❸ 要「買」來客戶「歡心」

在產品差不多的情況下，誠懇的態度是贏得客戶青睞的制勝之道。

業務銷售祕訣▼

作為業務員，不僅要學會賣東西，還要學會「買」人心，以自己的真誠態度來買客戶的「歡心」。如果你現在還不能做到這一點，試著站在客戶的角度去想問題，研究客戶的需要，然後盡最大的努力去獲取客戶的誠心。你能感動客戶，就能博得客戶的歡心。博得客戶的歡心，再加以悉心照顧，你就離成功不遠了。

▶定律4

哈默定律：天下沒有做不成的生意，只有不會做生意的人

擁有銷售眼光，只要有人在的地方，就能做生意！

哈默定律認為，天下沒什麼壞買賣，只有蹩腳的買賣人。只要有人在的地方，就能做生意。銷售是一門永遠也不會消失的職業，因為不管網際網路怎樣的發達，不管物流怎樣的發達，產品的推廣總要有業務員，並且要想把產品介紹給客戶，也需要業務員。而業務員也要相信，只要有人的地方，就有市場，就有白己的潛在客戶。

銷售實戰技巧▼

美國有一個很大的鞋廠，但由於國內市場已經飽和，如何在海外開闢市場就變得非常重要。一天，鞋廠老闆找來行銷主管，指示他們派出兩批市場調查組到非洲尋找市場。不久後，兩個市場調查組都發來傳真。甲組說：「這裡沒有穿鞋的，即使生產出鞋來，在這裡也會賣不出去，還是趕快給我們寄來返美機票打道回府！」而另一調查組乙組卻與甲組結論完全相反。

乙組十分興奮地告訴老闆：「這裡人人沒有鞋穿，鞋子市場很大，極待我們去開發。請匯款五萬元，我們要在這裡籌建工廠，設計適合當地人穿的鞋。」老闆對兩個截然相反的調查結論作了比較，深信乙組是對的。於是決定在非洲建廠，結果鞋廠在非洲的營業額大幅增長。

這個案例告訴我們，世界上任何地方都存在銷售的潛力，就看你能不能發現市場，讓不穿鞋的非洲人穿上鞋。所以，業務員一定要堅信，只要有人的地方，就會有需求，也就能做銷售。

但是哈默定律也不是隨時隨地都能用得上的，它必須注意以下幾點：

❶ 要從實際出發

儘管只要有人的地方就會有需求，那麼也就會有銷售，但是這也得從實際出發，具有可行性才行。就像把梳子賣給和尚一樣，儘管和尚自己不用梳子，對梳子沒有需求，那麼就從與和尚有關聯的香客身上入手，把這種需求轉移到香客身上去，所以這樣的銷售也是能成功的。

❷ 必須要有銷售的眼光

沒有銷售眼光的業務員，就算他面前儘是銷售機會，他也不能獲得成功，因為他發現不了這些機會。

世界上不是沒有生意，只有不會做生意的人。所以，這個世界也不是沒有客戶，只有不會開發客戶的業務員。

業務銷售祕訣▼

我們說：一流的業務員能使客戶馬上產生購買衝動！二流的業務員能使客戶馬上心動！三流的業務員透過不斷的努力，能使客戶產生感動！四流的業務員把自己搞得很被動，客戶卻一動也不動！

▶定律5

歐納西斯定律：把發展客戶工作做在別人的前面

多方面瞭解客戶，掌握必要的資訊，減少銷售阻力，使工作更有效率。

對於一個業務員來說，除了要對本企業和所推銷的產品及競爭對手的情況進行必要的瞭解之外，還要對客戶有深入的瞭解及研究。《孫子兵法》中說「知己知彼，百戰不殆」，銷售工作也是如此。只有從多方面瞭解客戶，掌握必要的資訊，才能減少銷售的阻力，使銷售工作更有效率。同時，掌握客戶多方面的資訊也是挖掘客戶需求，進一步接近客戶的基礎。

銷售實戰技巧▼

一九〇六年，歐納西斯出生在土耳其西部的伊茲密爾地區。很多年後，他成長為舉世聞名的希臘船王。

歐納西斯是聞名於世的希臘船王，他的成功主要得益於敢於決斷。有人說，歐納西斯的成功是偶然的，但真正瞭解他的人卻不這麼認為。一位和歐納西斯很要好的經濟學家評價說：「這位希臘人找到了成功的鑰匙：勇於決斷是通向成功的正確道路。」還有一位經濟學家說：「他很會到其他人認為一無所獲的地方去賺錢。」寥寥數語，道出了歐納西斯成功的祕密。

少年時，歐納西斯的生活是無憂無慮的，因為父母的菸草買賣是順利的。為了培養孩子，父親每次談生意還帶著小歐納西斯讓他長長見識。一九二二年，土耳其人解放了在「一戰」中被希臘軍佔領的伊茲密爾，歐納西斯一家人還被關入監獄。儘管在付出了巨額保釋金後一家人才出獄，但伊茲密爾已經不能再待了。同年九月份，全家人來到了希臘尋求一個希望！

當時有成千上萬的難民聚集在愛琴海邊、港口附近，歐納西斯又靠什麼來生活呢？幸運的是，他在一艘駛往阿根廷的貨船上找到了一份低下的工作。

到達了阿根廷之後，在當地希臘僑民的幫助之下，歐納西斯在一家電話公司做電焊工。為生活所迫，歐納西斯一天工作十六個小時，但是這樣艱苦的環境，並沒有減低他的勇氣和希望。

一次偶然的機會，歐納西斯發現在阿根廷菸草比較走俏，但卻只有本地以及南美洲的菸草。由於味道強烈，很多人都不十分喜歡，而溫和的希臘菸草卻沒有人賣，這就是商機！看到這個機會，歐納西斯毅然辭職，把自己辛苦存的錢投資在菸草上面。

最初，歐納西斯只能在一個小地方生產希臘菸，但很快就供不應求。在擴大生產規模之後，他小賺了一筆。但在菸草家庭中長大的歐納西斯明白，這種做法不能賺大錢，只有菸草貿易和運輸才能成大事。到一九三〇年，歐納西斯已經成為希臘產品最大的進口商，他還租用了一些貨輪。

在歐納西斯躊躇滿志的時候，席捲全球的經濟危機爆發了，無情地摧毀了一切。當所有人都被折磨得快絕望的時候，歐納西斯卻從中洞察出生機。

當時加拿大國營鐵路公司為了度過危機，準備拍賣其下的六艘貨船，十年前價值二百萬美元，如今僅以每艘二萬美元的價格拍賣。他像獵鷹發現獵物一樣，極為神速地前往加拿大商談這筆生意。

這一反常舉止令同行們瞠目結舌，因為當時海運業空前蕭條，老牌海運企業家們避之猶恐不及，歐納西斯在這樣的情況下投資於海上運輸，無異於將鈔票白白拋入大海。許多人勸他，有些人甚至認為他喪失了理智。但歐納西斯清醒地看到，經濟的復甦終會來到，眼前的蕭條一定很快會過去。危機一旦過去，物價就會從暴跌變為暴漲。如果能乘機買下便宜的東西，價格回升後再拋出去，轉手即可獲得暴利。海運業雖暫受衝擊，但必有復甦之日。

歐納西斯謝絕了同事和朋友的勸阻，果斷地將這些船全部買下。果然不出所料，經濟危機過後，海運業的回升居於各業之首，歐納西斯買的那些船隻一夜之間身價爆漲，這就是船王歐納西斯的膽識與眼光。

歐納西斯之所以能取得大成功，就是因為他把生意做在了別人的前面，把開發客戶工作做在了別人的前面。這就是歐納西斯定律的準則。

1 工作要有激情

推銷東西被別人拒絕是常見的事，但要是客戶一拒絕你，你就洩氣了，那麼你在銷售行業永遠也不能成功。相反地，不管客戶怎樣地拒絕，你都要有激情地去面對下一個可能的潛在客戶。

❷ 去開拓新的客戶群

歐納西斯之所以能成功，就是因為他很會到其他人認為一無所獲的地方去賺錢。你要想開拓自己的客戶群，那麼你也得到那些別人認為沒有市場的地區去開拓自己的事業，這樣你就離成功越來越近。

時間就是金錢，時間就是先機，贏得先機的業務員也就意味著贏得了勝利。當別的業務員還沒有進入這個區域的時候你就已經來了，那麼你就擁有了優勢。

業務銷售祕訣▼

歐納西斯取得巨大成功的祕密，是他把生意做到了別人的前面，也即「走在前面」的精神。看得遠一點，走得穩一點，這些對業務員無疑具有深遠的借鑒意義。如果業務員能將這些思維用於實際的銷售工作中去，將會對你的銷售之路非常有幫助。

▶定律6

二選一定律：把成交主動權操縱在自己手上

讓客戶回答二選一的選擇題，可以幫助客戶理清思緒，快速做出決定！

所謂二選一定律，就是你給客戶提兩個問題，而且讓客戶必須回答，然後讓客戶作出選擇。在說這個定律之前，讓我們先來看看什麼是變形的二選一選擇題。

銷售實戰技巧▼

「張總，想不到您的網路意識如此強烈，如果能與您當面溝通那將是我的榮幸！我們約個時間，當面聆聽您的意見可以嗎？」

「好的。不過我最近很忙。」

「我知道您很忙，所以我才想與您見面溝通，只要花費您十分鐘的時間就可以了。您看您是本周有時間還是下周有時間呢？」

「下周我要出差，本周吧。」

「那好，您看是週二還是週三好呢？」

「週三吧。」

「張總，那您是週三上午有空還是週三下午有空呢？」

「週三上午吧。」

「那張總您是上午九點有空還是十點有空呢？」

「上午十點吧。」

這就是一種二選一法則，別人給你提出兩個可供選擇的問題，你只能在這兩者之中選擇，這樣就讓他人佔據了主動權。作為業務員，要理解客戶在選擇產品上的遲疑。要知道，無論是誰，當魚和熊掌一起擺在面前的時候，都會猶豫，不知該選哪一種。所以當你面對這些客戶的時候，應耐心詢問他的需求，並推薦合適的產品。當客戶舉棋不定的時候，你可以主動詢問他需要什麼幫助。

明確了客戶的購買意向，就可以採用「二選一」的技巧，縮小客戶的挑選範圍，比如，「請問您是喜歡黑色的衣服還是白色的？」這樣客戶就只能跟著你的思路走，那麼你也就永遠處在主動的位置。

銷售實戰技巧▼

阿楓是一家汽車公司的業務員，有一次他向一位客戶推銷一輛汽車，但是當他介紹完了汽車的性能、價格之後，客戶還是遲遲不能作決定，不肯在訂單上簽名。

「您喜歡兩個門的還是四個門的？」

「啊，我喜歡四個門的。」

「您喜歡這幾種顏色中的哪一種呢？」

「我喜歡紅色的。」

「您要車底部塗防銹嗎?」
「當然。」
「要染色的玻璃嗎?」
「那倒不一定。」
「我們可以在十月一日,最遲晚上八點將您喜歡的車交給您。」
「十月一日最好。」
「那好吧,先生,請在這兒簽字。」
就這樣,阿楓運用二選一定律成功地讓客戶在訂單上簽上了自己的名字。

但是二選一定律是否任何時刻都能用在銷售中呢?

這不一定,因為有時候客戶也會再把問題推給你的。比如你說:「您覺得這件衣服值多少錢呢?」如果客戶會說出一個價格出來還好,但要是客戶這樣說:「你是行家,還是你自己說一個價吧!」這時候你會怎麼辦呢?肯定就接不下去了,所以,二選一定律也不是任何時候都能用的。要是客戶真有那樣的回答,那你就要以別的方法來解決問題了。所以二選一定律的使用要注意以下幾點。

❶ 你要贊同客戶的觀點

在客戶說出自己的意見或者看法的時候,你要先贊同他的觀點或看法,這樣你才有機會往下說。你要是反駁他的觀點了,那麼你也就把你自己的路給堵死了。

❷ 要講究時機和順序

二選一法則不要問：「你要不要買？」應該問：「你喜歡A還是B？」「你要兩個還是三個？」給客戶一個機會選擇。所以，二選一法有適當的使用時間，沒有進入銷售的最後階段，不要動不動就使用二選一法則，客戶尚未瞭解你到底要跟他溝通什麼、銷售什麼，還未對你的產品產生興趣，你突然問他打算什麼時候買你的產品，這樣只會讓你自己碰一鼻子灰。銷售是一種策略，你能主導客戶的思維，那麼你就能成為銷售贏家。而二選一定律則是你主導客戶思維的最佳定律。

業務銷售祕訣▼

當然，正所謂「心急吃不了熱豆腐」。當業務員在向客戶推薦產品的過程中，客戶出現明顯的「排斥」情緒時，你就不要急著去追問對方「買還是不買」，也不宜頻頻向客戶施加壓力，這樣做的結果通常適得其反。如果你太心急，給客戶的壓力太大，客戶都會以產品太貴或自己沒有這方面的需要等原因予以推辭。因此，不管客戶說什麼，你都要贊同他的觀點，你贊同他才有機會說下面的話，並適時給他二選一的選擇，不管客戶最終選擇了哪個，都是你滿意的結果。

伯內特定律：讓產品在客戶心中留下深刻印象

讓產品佔據客戶頭腦，在客戶心中留下深刻印象，引領市場潮流。

伯內特定律是美國廣告專家利奧・伯內特提出來的。他認為，產品只要佔領了人們的頭腦，就掌握了市場的指揮棒。不能否認，這條定律是很有科學性的。因為頭腦產生意識，而意識就決定行動。

客戶購買某種產品，肯定是有了想購買這種產品才作出購買行動的，要是對某種產品連購買意思都沒有，怎麼會去購買它呢？

銷售實戰技巧▼

民國時期，上海有家毅輝服裝店，雖然是老牌名店，但是自從進入民國以後，生意就一直走下坡路。老闆眼看著這種情況只有發愁的份，因為他也找不到提高銷量的有效方法。

當時儘管廣告還不是主要的宣傳手段，但是那時上海的報紙也時常出現一些廣告語：李家豆腐，白嫩可口；張家錢莊，安全可靠……這些廣告吸引了老闆，於是他也想藉助這種廣告來宣傳一下自己的服裝店。

> 但是廣告要怎麼做才能吸引客戶呢？店老闆來回走動思索著。這時，帳房先生過來獻計說：「商業競爭與打仗一樣，得注重策略，只要你捨得花錢在最大的報社登三天的廣告，問題就會解決。第一天只登個大問號，下面寫一行小字：欲知詳情，請見明日本報欄。第二天照舊，等到第三天揭開謎底，廣告上寫『三人行必有我師，三人行必有我衣——毅輝服裝』。」
>
> 老闆眼睛一下子就亮了起來，於是依計行事。廣告一登出來果然吸引了廣大讀者，毅輝服裝店頓時家喻戶曉，生意火紅。
>
> 老闆很有感觸地意識到：做廣告不但要加深讀者對廣告的印象，還要掌握讀者求知的心理。

毅輝服裝之所以能有這麼大的成功，帳房先生可謂獨具匠心。他利用了人們對懸念特別關心的心理，大吊胃口，最後突然讓你恍然大悟。廣告雖然做得簡單，但敢於標新立異，衝破傳統觀念，因而取得了成功。管理大師彼得・杜拉克說：「企業的宗旨只有一個，就是創造客戶。」有差異才能有市場，因此，從某種意義上說，創造了差異，你就佔領了市場。所以，只有先佔領消費者的頭腦，你的產品才會激起消費者的購買欲望。那麼怎樣去佔領客戶的頭腦呢？

❶ 利用廣告打出知名度

廣告是一個引起消費者注意的過程。一個好的廣告是能有效地抓住消費者的目光，透過自己的創意讓廣告產生強烈的衝擊力，打動消費者，進而挑起購買的欲望。

❷ 提供差異化的產品

廣告模樣是宣傳已有產品，而提供差異化產品則是創造沒有的產品。二者要成功，都要首先佔領消費者的頭腦。

業務銷售祕訣▼

對於業務員而言，有一顆創意的心，強於一口伶牙俐齒，能抓住客戶的心才是業務員真正需要熟練掌握的真功夫。在紛繁的市場中，處處有商機，幾乎每個人都有可能成為你的客戶，關鍵是你有沒有一雙明亮的慧眼和超出常人的靈敏嗅覺，能不能及時把握商機、開拓商機！

跨欄定律：制定高目標激發銷售潛能

「遇強則強」的銷售心態，銷售目標訂得約高，業績也會越好！

所謂跨欄定律，是指一個人取得的成就大小往往取決於他所遇到的困難的程度。在銷售過程中，你也許會遇到這種現象：你越是覺得某個客戶難以攻克，就越能完成交易；你覺得老闆交給的銷售任務越高，你的銷售業績也就越好。

「遇強則強」的例子在銷售中比比皆是！沒錯，事實上也確實如此，當你遇到困難或挫折時，不要被眼前的困境所嚇倒，只要你勇敢面對，坦然接受生活的挑戰，就能克服困難和挫折，取得更大的成就。

一個業務員的銷售業績取決於他所遇到的困難的程度，困難越大、挑戰越大最後成就也就越大。

一位名叫阿費烈德的外科醫生在解剖屍體時發現一個奇怪的現象：那些患病器官並不如人們想像的那樣糟，相反的，在與疾病抗爭中為了抵禦病變，它們往往要比正常的器官機能更強。根據這一現象，可以解釋生活中的許多現象。

譬如，盲人的聽覺、觸覺、嗅覺都要比一般人靈敏；失去雙臂的人的平衡感更強，雙腳更靈巧，所有這一切，彷彿都是上帝安排好的。

那麼銷售也不例外，銷售中也有跨欄定律的存在。

銷售實戰技巧▼

伊利森是紐約州一個小鎮裡一家商場的業務員，但是這家商場因為有伊利森，所以生意越來越好，一年之後，商場的規模擴大了一倍。但是伊利森卻並不滿足於這個銷售成績，他想成為一名偉大的業務員，於是他毅然向老闆辭職，隻身來到了紐約。

來到紐約之後，他進了一家百貨公司，但老闆為了看他的銷售能力，給了他一天的時間。這天結束的時候，老闆來問他。

「今天服務了多少客戶？」

「只有一個。」伊利森回答道。

「只有一個？」老闆生氣了，「那你的營業額是多少？」

「三十萬美元。」

「什麼？」老闆大吃一驚，「你怎麼讓一個客戶買這麼多東西？」

「首先我賣給他一個魚鉤，然後賣給他漁竿和魚線。」伊利森說，「我問他在哪兒釣魚，他說在海濱，於是我建議他應該有一艘小艇，於是他買了一條二十英尺長的快艇。他說他的轎車無法帶走時，我又賣給他一輛福特小卡車。」

「你賣了這麼多東西給一位只想買一個魚鉤的客戶？」老闆驚訝地說。

「不！他來只是為了治他妻子的頭痛而買一瓶阿司匹林的。我告訴他，治療夫人的頭痛，除了藥外，也可以透過適當的放鬆來舒緩病症。週末到了，你可以帶她一起去釣魚。」

最後，伊利森終於實現了他的夢想，他成了一名成功的推銷員。

伊利森成功的原因是什麼？就是他每一次推銷成功之後就為自己訂下了下一次的銷售目標，並且他每次的目標都只會比前一次目標更高。別人問他這是什麼原因時，他說：「每一次的目標都會為我提供一個方向，為了這個方向我必須每天都非常努力，要不然，月底我就實現不了我的銷售目標。」

是的，這就是跨欄定律，每一次成功之後，你就得為自己訂立下一次的目標了，在這過程中你遇到的困難越大，你的成功也就會越大。

被金氏世界紀錄譽為「世界最偉大的業務員」的喬・吉拉德，創造了五項金氏世界汽車零售紀錄：平均每天銷售六輛車；最多一天銷售十八輛車；一個月最多銷售一百七十四輛車；一年最多銷售一千四百二十五輛車；在十五年的銷售生涯中總共銷售了一萬三千零一輛車。

他這些目標的實現，就是他時時堅守著跨欄定律，每週、每月、每年都會為自己定下一個銷售目標，然後為了這個目標全力以赴。有不少的業務員都認為自己的能力比不上那些銷售精英，自己再怎麼努力也不能達到吉拉德那樣的銷售成績，所以銷售一直業績平平。其實，世界上並不存在什麼天才業務員，所有成功的業務員都是努力得來的。只有堅持自己的目標，努力不懈，才能實現自己的理想。有些業務員之所以不能有很好的業績，主要因為他們根本就沒有自己的銷售目標。

作為業務員，要想使跨欄定律在你的身上出現，那麼你就得遵循跨欄定律的原則。

❶ 建立長遠的目標

有了目標才不會迷失方向。銷售目標就是你的前進方向，為了實現目標，你就得努力工作，長期下來，一個一個目標完成，那麼你也就能成為像吉拉德、原一平那樣偉大的業務員。

❷以目標為方向，堅持不懈地走下去

有了目標並不一定能成功，因為還缺少堅持下去的努力。所以你為自己定好了目標之後，你就要為實現你的目標而不懈地努力，總有一天，你會到達成功的頂點。人的潛能是無限的，你的行銷目標也要越來越高，只有這樣，你才能實現一個又一個的目標。並且，每次實現你的銷售目標之後，你再建立自己的更高目標，你的工作才有方向，那麼你也會不斷打破自己的銷售紀錄。

業務銷售祕訣▼

無疑，世界上不存在什麼天才業務員，只有不斷向上攀登的銷售精英，沒有人生來就是成功的，沒有任何業務員一入行就能一帆風順。只有堅持不懈地努力，用自己的汗水努力，才能結出勝利的果實。因此，身為業務員不要再為那些所謂的欄杆所困擾，勇敢地跨越過去，你的銷售生涯將會更加輝煌，你的銷售夢想也將越來越偉大！

▶定律9

斯通定理：學會把拒絕當做一種享受

一切以態度為主，採取什麼樣的態度，就會有不同的結果！

這一定理是由美國「保險怪才」斯通提出的，意思是對於同樣一件事，用不同的態度去對待，就會有不同的結果。斯通定理說明了這麼一個道理：一切取決於業務員的態度，而不是客戶。「態度決定一切」是在美國西點軍校廣為流傳的一句名言。這句名言告訴我們沒有什麼事情是做不好的，重要的是看做事的態度。要想成為一名優秀的業務員，就要謹記：一切以態度為主，你付出了多少，你採取什麼樣的態度，就會得到什麼樣的結果。所以，一名優秀的業務員，就應當建立良好的心態，把拒絕當成一種享受來對待。

所謂享受拒絕，是指當我們在遭遇到客戶拒絕之後，享受拒絕給我們帶來的好處，把不利變為有利。享受拒絕是對良好心態的一種運用，同時也是一種把困難和挫折透過正面的思考而轉換為對我們有利的方法。對於推銷員來說，遭受拒絕是很常見的事。既然是很常見的事，是每個推銷員所必須面對的事，那麼就把這種拒絕當做一種財富吧。

在推銷員的心裡，一定要有這樣的想法：遭受客戶拒絕不是失敗，而是成功的一部分。你和其他的十個推銷員去向一個客戶推銷相同的產品，第一次被客戶拒絕了，還有五個人留下來，第二次被客戶拒絕了，還有三個人留下來，那些推銷員都在客戶拒絕之後走了，也就意味著你的對手都知難而退了，這時候要是你還能夠堅持，那麼你離成功就越來越近了。

同時，每一次的拒絕都是一次鍛鍊自己的機會。當我們被客戶拒絕時，我們不要只把它就當做一次挫折，我們要從失敗中尋找被拒絕的原因。我們要回顧自己從約訪到被拒絕是哪一個環節出了問題。如果你不知道，你可以去問客戶。當你去問客戶的時候，不但你會瞭解到你被拒絕的真正原因，說不定還會給你創造奇蹟。

世上無難事，只怕有心人。做任何事情都必須下定決心，不怕苦、不怕累，只要認真地去做了，人生就會無憾，自然也會得到一個好的結果。努力不一定帶來成功，但不努力就一定不會成功。那麼，業務員面對客戶的拒絕時，應該如何面對，又如何做到視拒絕為享受呢？

❶ 把每一次拒絕看成還「債」的機會

每個人在這個世界上都有兩重角色——買家和賣家。當你在做銷售工作的時候，你是賣家，那你當然要遭受一些拒絕。同樣的，當你是買家的時候，你也會拒絕別人。因此，你可以把客戶的拒絕認為是自己欠了別人的一次「人情債」，那麼當你被別人拒絕的時候，其實也是別人給了你一個還「人情債」的機會，如果你這樣想的話，就不會對每次的拒絕那麼耿耿於懷。因為這樣的「還債」是理所當然的。

❷ 客戶現在拒絕你，並不意味著他會永遠拒絕你

在每次銷售之前，不能過於心急，需要一步步走。每一步走好了，成交的結果自然就來了。從準備、開場、挖掘需求、推薦說明一直到成交，這每一步中都存在著拒絕。但這些拒絕不代表一直都在，只要你保持樂觀的心態，準確把握客戶的需求，適當地解釋清楚，那這些障礙就是暫時的。有很多業務員太早向客戶發出強烈的成交要求，以致於讓交易失敗，這就好比炒菜，火候未到，就開始起鍋上菜，那口味能好吃嗎？

3 對拒絕不要信以為真

有些客戶對並不瞭解的東西，通常的反應就是拒絕，拒絕對他來說就是一種習慣。還有些客戶的拒絕，往往是需要進一步瞭解你的產品的正常反應。雖然這對你來說好像是挫折，但對一部分客戶來說，的確是被人攻破心理防線的「偽裝抵抗」。所以，你不要太相信這類客戶的話，只需要抱著堅定的信心繼續走下去就可以了。

4 相信拒絕一次就離成功更近一步

一個人要想成功，除了努力地付出之外，還需要時時進行自我激勵。這種自我激勵是困難時的助推器，它能推動你義無反顧地向前。因此，在推銷的過程中，不要消極接受別人的拒絕，而要積極面對。當你的推銷在千言萬語後落空時，把這種拒絕當做一個重要的問題——自己能不能再堅持呢？不要聽見「不」字就打退堂鼓，應該讓這種拒絕激發你更多的潛力。

業務銷售祕訣▼

在很多情況下，業務員會被客戶拒絕，原因在哪裡？原因很多，最常見的是因為業務員自身的心理障礙。你越是害怕被客戶拒絕，你就越會被客戶拒絕！當拒絕不可避免的時候，那就得學會享受。銷售就是這樣，你不能因為客戶的拒絕就放棄這一種職業，你應該把拒絕當做一種享受。

▶定律10

原一平定律：失敗時要有百折不撓的精神

銷售需要不氣餒、持之以恆的精神，只有不放棄，總有一天一定會成功！

銷售實戰技巧▼

有一天，工作極不順利，到了黃昏時刻依然一無所獲，原一平走回家去。在回家途中，經過一個墳場。在墳場的入口處，原一平看到幾位穿著喪服的人走出來。原一平突然心血來潮，想到墳場裡去走走，看看有什麼收穫。

這時正是夕陽西下，斜斜的陽光有點「夕陽無限好，只是近黃昏」的味道。原一平走到一座新墳前，墓碑上還燃燒著幾支香，插著幾束鮮花。說不定就是剛才在門口遇到的那批人祭拜時用的。

原一平恭謹地朝著墓碑行禮致敬，然後很自然地望著墓碑上的字——某某之墓。那一瞬間原一平像發現新大陸似的，所有的沮喪一掃而光，取而代之的是躍躍欲試的工作熱忱。

他趕在天黑之前，往管理這片墓地的寺廟走去。

「請問有人在嗎？」

「來啦，來啦！有何貴幹？」

「有一座某某的墳墓，您知道嗎？」
「當然知道，他生前可是一位名人呀！」
「您說得對極了，在他生前，我們有來往，只是不知道他的家眷目前住在哪裡呢？」
「你稍等一下，我幫你查。」
「謝謝您，麻煩您了。」
「有了，有了，就在這裡。」
原一平記下了某某家的地址。第二天就向這位客戶的家裡走去。

原一平之所以能成為日本保險推銷業的「全國之冠」，就是因為他每時每刻都在開發自己的潛在客戶，不怕失敗，所以，他從墳場都發現了他的潛在客戶。在銷售的道路上，有成功也就有失敗，並且按照常理來說，應該是失敗的次數遠遠要比成功多得多。其實失敗了不要緊，要緊的是你失敗了之後會不會重新再來。只要你有這種百折不撓的勇氣與心理，那麼總有一天，你會成功的。

眾所周知，愛迪生發明了電燈，但是在他發明電燈以前，他經過了幾千次的實驗，在這幾千次的實驗中，他都沒有發現鎢絲能作為燈泡的燈絲。也就意味著，這幾千次的實驗對於愛迪生來說，是幾千次的失敗。這麼多次的失敗，很多人會選擇放棄，但是愛迪生沒有，他堅持了下來。正由於愛迪生排除了一千種不能當燈絲的材料，最後找到了鎢絲，所以他成功了。

銷售也是一種最容易失敗的職業，也許你一天見了二十個客戶，但是一筆訂單也沒有。而如果這樣的情況堅持一個月、一年呢，那麼你還會堅持嗎？這對於所有的推銷員來說，都是一種考驗。

對於推銷員來說，失敗很正常，不可能次次都順利。所以，失敗並不可怕，因為每一次的失敗都是成功的基礎，失敗得越多，離成功就越近。但是，要具有這種勇氣也是需要技巧的：

❶ 要堅信自己努力了總會成功的

俗話說：「一分耕耘，一分收穫。」推銷也一樣，只要你肯去努力，收穫遲早都會來的。只有對成功抱有一種堅定的信念，才能激勵自己繼續前進。

❷ 時常充滿幻想

成功的業務員每天都會對自己進行積極的心理暗示，而這種心理暗示就根源於幻想。幻想是一種極其有效的自我調劑方法，它可以大大改變我們的生活。所以，成功的業務員每天的幻想就能讓他積極地看待他自己的未來。因為人們有時是根據業務員的自信與熱情來作購買決定的，而很少是根據業務員的產品知識來作決定的。原一平的精神告訴我們，只要堅持下一個客戶你就能拿到訂單。

業務銷售祕訣▼

古人講得好：「買賣不成仁義在。」對於業務員而言，如果盡到了最大的努力仍沒成交，這種情況也是經常遇見的。不過，就算這次沒有成交，但若能給客戶留下一個良好的印象，那也算是一種成功了。所以，在被客戶拒絕而告辭時，業務員一定要有禮貌和風度。即使心中沮喪也不要在表情上有所流露，更不要言行無禮。因為你垂頭喪氣的樣子不僅不會讓對方同情，還會使對方反感。相反的，如果你表面上神情自若，一邊收拾整理資料，一邊說上幾句讚美對方的話，這樣一來你那不氣餒的態度就會給對方留下深刻的印象。

Chapter3 ▶

讀懂顧客的非語言信號——

身體語言藏著8種**心理學潛規則**

人類除了口頭語言之外，還有一種肢體語言。有時候客戶不說話並不意味著客戶就認可你，有時候客戶直直地看著你並不意味著客戶就對你的產品有興趣，這其中的奧妙是層出不窮的。在銷售產品的每個瞬間，肢體語言都發揮著巨大的作用，讀懂了它，就讀懂了一個人。

▶規則1

眼睛就是客戶赤裸裸的內心

舌頭能騙人，但瞳孔的運動是獨立、自覺、不受意識控制的。

眼睛所傳遞的資訊是最有價值也是最為準確的。為什麼這麼說呢？因為眼睛是傳達身體感受的焦點，瞳孔的運動是獨立、自覺、不受意識控制的。舌頭能騙人，但眼睛騙人可不是那麼容易就能做到的。正如俗語講的那樣，「眼睛是靈魂之窗」，你內心在想什麼，透過這扇窗可以看得一清二楚。業務員在和客戶談話的時候，就要觀察客戶的眼睛，這樣便能更好地瞭解客戶的真實想法。成功的推銷人員都是一些善於觀察的人，能夠捕捉到客戶眼睛裡哪怕一絲的異樣，進而調整自己的銷售策略。

銷售實戰技巧▼

小丫對銷售這一行業特別有興趣，於是在畢業的時候進入了一家家電公司做業務員。經過培訓之後，工作的第一天經理就交給她一位周姓客戶要她去拜訪。小丫來到這位客戶的家裡，經過一陣寒暄之後，小丫開始轉入正題。

「台北的氣溫在夏天的時候還是挺高的，你的房子又大，挺需要一台冷氣。」

「是啊，夏天的氣溫確實有點高。特別是最近幾年，夏天的氣溫越來越高了。」

「我們公司的冷氣機貨真價實，並且最近有優惠活動，可以為你省錢喔。」

「是嗎？」這位客戶直直地用眼睛看著小丫，眼睛一直都沒有離開小丫的臉，看起來很認真的樣子。

小丫以為這位客戶被她的話打動了，於是說話更起勁了。「我們公司的冷氣相對於其他公司來說，更省電，一年就能為你省一大筆電費，而我們公司的冷氣非常耐用，用十年都沒問題。」看著客戶沒有異議，小丫頓了頓，「我們的冷氣是超靜音的喔，在三十分貝左右，所以絕對不會影響您的工作和休息。」

經過一段長時間的談話之後，小丫拿出訂單讓客戶在上面簽字，但是客戶卻說：「讓我考慮考慮吧，我過兩天給你回信。」

兩天之後，這位客戶也沒有給小丫回信。就這樣，這次銷售泡湯了。

小丫不知道，其實客戶在用眼睛直直地看著她的時候，就已經顯示了客戶對她的產品的態度，只是她沒有發現，所以她這次推銷才沒有成功。透過眼睛，我們可以發現客戶的內心世界。

在銷售過程中，業務員會遇到形形色色的客戶，難免會遭到客戶的冷眼，當然也會得到客戶理解的眼神、支持的眼神、鼓勵的眼神、稱讚的眼神。在銷售過程中，客戶的眼神有以下幾種類型：

❶ 柔和友好型

這樣的客戶是善良真誠的，對人很少有戒心。在面對業務員時會眉眼含笑，嘴角也有笑意，表現出對人的熱情和好感。這樣的客戶是業務員喜歡遇見的，即使生意不成也會帶著愉快的心情離開。

❷ 懷疑型

多數人對業務員都是充滿懷疑，因此眼神也會充滿不信任。客戶購買商品很謹慎，如果業務員沒有足夠的說服力，就會引起客戶的懷疑。客戶的眉頭會微皺，眼睛的瞳孔變小，透露遲疑的神情。

❸ 好奇型

如果業務員的商品有很多有趣的地方，這時客戶的眼睛瞳孔會放大，眼皮抬高，盯著業務員或者商品仔細地看，表現出很大的興趣。有些商品有著奇特的功能，在製作工藝上很有技巧性，如果客戶之前沒有見過這樣的商品，就會為商品的奇特性所吸引，並表現出驚訝。他們的瞳孔會變大，嘴巴微微張開。如果業務員能夠有效地進行引導，就會促使客戶購買。

❹ 沉靜型

這些人眼睛的瞳孔總是保持自然狀態，眼皮不動，冷靜地看著業務員。說明業務員的商品或者話題對客戶來說不足為奇，無法引起客戶的興趣。這樣的客戶一般見多識廣，有主見而且很沉著，不會被業務員華麗的說辭所迷惑。對這樣的客戶，用真誠的服務和優秀的商品品質來打動他是最實際的。

眼神可以傳遞出很多客戶內心深處的資訊，善於觀察客戶的眼睛，發現客戶的內心，對銷售工作的順利開展是很有幫助的。業務員要依據客戶的眼色行事，重視客戶的感覺和反應，從中獲得關於客戶內心情感的準確資訊，進而把握客戶的心理，這樣才能去應對各種狀況，克服不利因素的影響，獲得客戶的信任和喜歡，使銷售順利進行。

業務銷售祕訣▼

推銷就是一種人與人之間的交流，兩個人在交流的時候注視著對方的眼睛是對別人尊敬的表現，同時也能從對方的眼睛中讀懂一些東西，這些東西也許是話語沒有表達出來的。因此在銷售中你就要學會關注客戶的眼睛，讀懂客戶眼睛裡所表達的意思。

▶規則2

眉語，是客戶的第二張嘴

「眉語」也是肢體語言的一種，眉毛舒展或者收斂等動作來替代語言，以此表情達意。

人們常說「眉目傳情」，很多時候人們可以應用語言之外的其他形式來表達某種情緒和態度，如手語、頭語、眼語等肢體語言。這些都是無聲而有形的語言，有時甚至比有聲語言更能傳達出真摯的情意。而「眉語」也是肢體語言的一種，指在特定的語言環境中，人們用眉毛舒展或者收斂等動作來替代語言，以此表情達意。

很多時候，人們可以應用語言之外的其他形式來表達某種情緒和態度，而「眉語」也是肢體語言中的一種。古人將眉毛稱為「七情之虹」，因為它可以表現出不同的情態。透過眉語人們不僅能夠傳達出很多意思，還可以彼此進行交流，比如我們經常說的「擠眉弄眼」、「眉來眼去」等就是一種交流、一種暗示。而透過分析對方的眉毛所表達出來的神態，瞭解對方的意思，叫做「察眉」。在銷售過程中，我們也可以透過「察眉」瞭解到客戶的心理變化，洞察客戶心中的真實情感。

銷售實戰技巧▼

蕭女士準備買一輛新車，她來到汽車銷售市場轉了一上午，也沒有找到一輛合適的車，不是價格不合適就是款式不喜歡。她感到很累，心情也不好。不知不覺走到另一個展區，這時一位業務員過來詢問她是否買車。蕭女士隨便應付了一句。業務員見她眉頭緊鎖，就猜到她買購車不是很順利。於是就安慰蕭女士說：「小姐，看您很累的樣子，不如先過來坐一會兒休息一下。買車最重要的就是選擇自己喜歡而且價格合適的車，所以急不得。」

一句話正中蕭女士的心意，於是她便坐下來向業務員說產生購車的經過。業務員從蕭女士口中透露出的資訊已經知道她想要的車的款式和價位，於是便給蕭女士介紹了一款同類型的車，但是在價格上降了許多。蕭女士一看，便眉毛上揚，顯示出一種欣喜的表情，但是很快又皺起眉頭，她問：「價格便宜了，是不是性能差了許多啊？」業務員趕緊做了合理的解釋，顯然蕭女士很滿意，最後眉開眼笑地購買了那輛車。

可見，不同的「眉語」表達不同的人物情緒，我們常常見到的表現形式有以下幾種：

❶ 揚眉

表示高興的神態和心情。如「揚眉吐氣」。具體狀態是雙眉揚起，略向外分開，眉間皮膚伸展，使眉間短而垂直的皺紋拉平，而整個前額的皮膚向上擠緊，造成水準方向的長條皺紋。如果業務員的商品正合客戶的口味，使客戶有一種「踏破鐵鞋無覓處」的欣喜，客戶就會眉開眼笑，眉毛就會揚起，表示欣喜和愉悦。而如果客戶是一條眉毛上揚，一條眉毛下降，這樣的表情像一個「?」，表示心中有疑問，對業務員介紹的商品心存懷疑或者不理解的地方。這就需要業務員進一步證明或者加以解釋。

❷ 皺眉

雙眉皺起，臉部也跟著上揚，額頭出現長長的水準皺紋，這樣的表情表示不高興、不耐煩，或者很為難。這說明客戶對業務員說的話或者推銷的商品很不滿、不喜歡，而且不願意再聽業務員囉唆，有很強的抗拒心理。

❸聳眉

眉毛上揚，停留一會兒又降下，同時伴有撇嘴的動作，這表示的是一種厭煩和不歡迎，有時也表示一種無奈。比如，客戶以前有過不愉快的經歷，或者購買過不好的同類產品，如果你恰好又去推銷，客戶就會產生抗拒心理，聳眉，露出不愉快的表情，並表示不願意接受。這樣的話，業務員要保持冷靜，對客戶的心理表示理解，用最有力的保證去說服客戶。

❹閃眉

眉毛上揚，又立刻降下，像閃電一劃而過，同時還伴著揚頭和微笑的動作。眉毛閃動是驚喜的一種表現，表示眼前一亮，對對方的到來很歡迎。如果客戶有這樣的表情，那麼成交是很有希望的事情了。

業務銷售祕訣▼

業務員要善於透過客戶的眉語來瞭解其內心情感，並學會以眉語與其進行交流，使彼此透過各種無聲的語言相互感染，有效地傳達自己的意思，進而產生共鳴，使客戶接受自己。此外，還有很多含義深刻的「眉語」，如「眉開眼笑」、「眉飛色舞」表示喜悅或得意的神態；雙眉緊蹙表示憂愁不快樂；橫眉表示憤怒，如「橫眉怒目」；「愁眉苦臉」形容發愁苦惱，心事重重等。

▶規則3

讀懂客戶的手部動作

當一個人感到緊張不安，會下意識地將一隻或兩隻手臂交叉抱於胸前。

在與別人談話時，有人有時候會把雙臂緊緊交叉抱於胸前。這個動作表示一種什麼意思呢？這一動作最主要的意思就是保護自己，每當我們感到有危險或遇到不願遇到的事情時，我們都會下意識地將一隻或兩隻手臂交叉抱於胸前，用自己的肢體形成一道身體防線，抵禦外來的危險，進而達到保護自己的目的。所以，當一個人感到緊張不安想保護自己，或不願接受他人意見的時候，他很可能會將雙臂交叉，緊緊抱於胸前，借此告知對方他有些緊張或不安。

作為業務員，在面對客戶時也一樣，客戶把雙手抱於胸前，那是因為他們對你懷有戒備之心，你的話刺激到了他，於是他藉此保護自己。這個時候你要是繼續談下去，那麼也是徒勞無功的，因為客戶在內心裡已把你拒於千里之外了，所以你要做的就是把客戶的心拉回來，消除他的戒備之心。

銷售實戰技巧▼

業務員：「高總，您好！」

客戶：「你好！」

業務員：「我是XX保險公司的業務員，最近我們公司推出了一種新的保險業務，不知道您有沒有興趣瞭解一下。」

客戶：「哦，真的嗎？那你給我介紹一下這項保險的優點在哪裡。」

業務員：「這項保險主要是針對小孩的教育，您家的小孩只要買了這個保險，每年繳納二萬元的保險費，連續交十年，那麼他從第三年開始就能每年分得二千元的紅利，十年之後，還能把這筆錢還給您。」

客戶：「看起來這個保險不錯哦，很值得。」（說完之後，客戶摸了摸自己的鼻子。）

業務員：「是啊，只要買了這種保險，小孩將來的教育費就不用愁了。」

客戶：「讓我再考慮一下，明天給你回話。」

這位業務員最後還是沒有攻下這位客戶，但是有一點讓人很納悶，客戶在回答業務員的問題之後為什麼會摸自己的鼻子呢？這種行為會有什麼內涵呢？

有時候業務員對客戶所說的話摸不著頭腦，不知道客戶的話是真是假。但是有一點是要明確的，那就是客戶儘管說了「謊」，但是嘴上卻說得好好的，讓業務員信以為真。但是不管客戶怎樣說「謊」，客戶的手勢卻是不能隱藏這些說「謊」資訊的。

1 遮住嘴巴

當客戶說「謊」話的時候，他們往往會不自覺地用自己的手遮住自己的嘴巴。遇到這種情況，你應該停止交談並且詢問客戶：「您有什麼問題嗎？」或者說：「我發現您不太贊同我的觀點，讓我們一起探討一下吧。」這樣就可以讓聽客戶提出自己的異議，業務員也有機會來解釋自己的立場並且回答客戶的問題。

❷ 觸摸鼻子

科學家們透過可以顯示身體內部血液流量的特殊成像儀器，看出血壓也會因為撒謊而上升。這項技術顯示人們的鼻子在撒謊過程中會因為血液流量上升而增大，科學家們將這種現象命名為「皮諾基奧效應」。血壓增強導致鼻子膨脹，進而引發鼻腔的神經末梢傳送出刺癢的感覺，於是人們只能頻繁地用手摩擦鼻子以舒緩發癢的症狀。所以，你要是與客戶交談的時候發現客戶觸摸自己的鼻子，那很有可能是客戶在撒謊。

❸ 揉擦眼睛

根據實驗顯示，大腦透過摩擦眼睛的手勢企圖阻止眼睛目睹欺騙、懷疑和令人不愉快的事情，或者是避免面對那個正在遭受欺騙的人。如果客戶表面上看起來對你的話很感興趣，但是他們卻時不時地用手揉擦自己的眼睛，那麼也顯示他們對你的談話感興趣也是在說「謊」。

❹ 抓撓耳朵

當你和客戶談妥之後，你拿出訂單，要客戶在上面簽字，但是客戶卻用手抓了抓自己的耳朵，這一動作表示的是客戶對你的產品不是真正地感興趣，即使他嘴上稱讚你的產品。

❺ 抓撓脖子

當客戶在聽你交談的過程中，時時用手指抓撓脖子，那是客戶疑惑和不確定的表現，等於他在說「我不太確定是否認同你的意見」。當口頭語言和這個手勢不一致時，矛盾會格外明顯。比如，客戶說「我非常喜歡貴公司的產品」，但同時他卻在抓撓脖子，那麼，我們可以斷定，實際上他並不喜歡。

6 拉拽衣領

德斯蒙德．莫里斯發現了一種現象，就是撒謊會使敏感的面部與頸部神經組織產生刺癢的感覺，於是人們不得不透過摩擦或者抓撓的動作消除這種不適。這種現象不僅能解釋為什麼人們在疑惑的時候會抓撓脖子，它還能解釋為什麼撒謊者在擔心謊言被識破時，就會頻頻拉拽衣領。

7 手指放在嘴唇之間

大部分用手接觸嘴唇的動作都與撒謊和欺騙有關，但是將手指放在嘴唇之間的手勢卻只是內心需要安全感的一種外在表現。所以，遇到作出這個手勢的客戶，你不妨給予他承諾和保證，這將是非常積極的回應。

客戶為了儘快地把你打發走，他們就會頻頻點頭認可你的產品，並且也說對你的產品表示出很大的興趣，但是他們會找藉口說過幾天給你答覆。當時也許你會信以為真，但事後你又會後悔莫及，所以你必須識破客戶的這種謊言，最好的方法就是識別他們的手勢動作。

業務銷售祕訣▼

一般來說，客戶本來對你的產品不感興趣，但是他為了讓你能早點離開他的辦公室，於是他裝作喜歡你的產品來敷衍你，但是實際上他是不會購買你的產品的。因為這是一種說「謊」的行為，而客戶為了掩飾這種說「謊」的心理不得不藉助於手勢，所以，身為推銷員的你只有懂得了這些手勢，你才能很好地推銷你的產品。

腳部動作洩露出的小祕密

人體中越是遠離大腦的部位，其可信度越大。

英國心理學家莫里斯經過研究，發現一個有趣的現象：人體中越是遠離大腦的部位，其可信度越大。

臉離大腦中樞最近而最不誠實。我們與別人相處，總是最注意他們的臉，而且我們也知道別人也以相同的方式注意著我們。所以，人們都在藉一顰一笑撒謊。再往下看，手位於人體的中間偏下，誠實度也算可以，人們多少利用它說過謊。可是腳遠離大腦，絕大多數人都顧不上這個部位，於是，它比臉、手誠實得多，它構成了人們獨特的心理洩露——腳語。

就好像人體語言的所有其他訊號一樣，腳的習慣動作也有自己的語言。人的心情不同，走路的姿勢也就不同；人的秉性各異，走起路來也有不同的風采。腳語是一種節奏，是為情緒打拍子的，如同舞場的旋律。「暴跳如雷」是自然界的快節奏和重節奏；「春風得意馬蹄疾」是另一種節奏，一種快旋律的輕節奏。

腳語除反映人的情緒外，還可以反映人的性格。如果一個端莊秀美的女子走起路來匆匆忙忙，腳步重且亂，就可斷定這位姑娘一定是個性格開朗、心直口快的人；反之，看上去五大三粗，走路卻是小心翼翼的樣子，這樣的人一定是外粗內細的精明人，他做事往往以豪放的外表來掩蓋嚴密的章法。

若有人坐下來就蹺起二郎腿，顯示他懷有不服輸的對抗意識；若是女性大膽地蹺起二郎腿，則表示她們對自己的容貌有足夠的信心及想要顯示自己的強烈欲望，人在站立時，腳往往朝著主體心中惦念的或追求的方向或事物。譬如，有三個男人站在一起，表面看他們在專心交談，誰也沒有理會站在一旁的漂亮姑娘，但實際上不是這麼回事，每個人都有一隻腳的方向對著她。也就是說，每個人都在注意她。他們的專心致志只是一種假面具，而真情被隱蔽著，但他們的腳語卻把各自的祕密洩露了。

曼徹斯特大學心理學系主任傑佛瑞．貝蒂教授數十年來一直研究人的「腳語」。英國《每日郵報》曾對他的研究進行過報導：

銷售實戰技巧▼

我們通常會注意人的表情和手勢，卻沒有意識到我們的腳「說」了很多內容，透過觀察一個人移動腳的方式，可以一窺此人的內心世界。貝蒂教授舉例說，站在男性追求者面前，如果女性的一條腿前伸，顯示喜歡這名男性；如果雙腳交叉或者不動，表示不感興趣。但這種「腳語」不適用於男性。

如果一名男性感覺緊張，會增加腳步移動來表達這種情緒。而女性則相反的，如果她們感覺緊張，就會保持雙腳不動。

「精英」男性和女性的腿腳動作相對較少，因為他們喜歡主宰對話過程，同樣喜歡控制自己的身體。性格外向者腳部動作少，害羞者腳步移動相對頻繁。自大傲慢的人通常會更好地控制身體，腳部動作也少。透過觀察腳部動作，我們還可以判斷一個人是否在撒謊。如果一個人的雙腳完全靜止，安分得有點過分，那他正在說謊。

貝蒂說，不少人認為，一個人說謊時會因為緊張而增加動作，但事實上，說謊者往往發出完全錯誤的訊號。「每個人都關注眼睛和臉部，但人們善於控制（那些部位的）動作，」他說，「因此，是否說謊的可靠跡象是腳部動作。」

業務銷售祕訣▼

不少人知道臉部表情和手勢會表露心事，卻未發覺雙腳動作正將心事一點點洩露出去。腳部的祕密語言在在表露我們的性格特徵、對談話對象的看法、情緒和心理狀態。大部分人知道自己的面部表情是什麼，可以戴上微笑面具，可以掩飾眼神；有人注意到自己的手正在做什麼；但除非我們刻意去想，否則完全不知道自己的腳在幹什麼。

▶規則5

坐姿中蘊藏的玄機

坐姿在很大程度上反映了一個人的心理狀態。

對於業務員來說，要注意客戶的習慣，因為客戶的習慣有時候就是業務員能不能拿下訂單的決定性因素。雙手輕鬆地放在雙腿上，身體前傾，腳尖微翹，作出一副即將離開的動作。這樣的姿勢是一種起跑者的姿勢，表示「我已經準備好了，沒什麼好談的了」。

無疑，坐姿在很大程度上反映了一個人的心理狀態。怎麼坐？這些微小的細節都能傳達給你一些有價值的東西。因為，習慣對於個人和社會都是極為重要的，它使個人的性情、氣質和社會的禮俗、制度聯結起來，成為個體和社會群體的仲介。所以每個人都有自己的習慣，而一種習慣是透過長時間的「內化」形成的，可是習慣一旦養成之後，要想改變也不是一件容易的事。

銷售實戰技巧▼

經理交給業務員小王一位難纏的客戶，經理已經派出了幾位業務員，但是每個人都垂頭喪氣地回來。

「這是一位很難纏的客戶，小王，你要是能把這位客戶攻下來，我請你吃飯。」

「好的，經理，這可是你自己說的啊，一言為定！」

「一言為定！」

於是小王開始準備，他知道，對於難纏的客戶不能貿然去拜訪，不然吃虧的還是自己。所以他花了三天的時間來搜集該客戶的資料，同時他又去請教了拜訪過該客戶的幾位業務員。儘管他們提供的資訊不多，但是每一個人都提到了一個現象，就是他們在拜訪該客戶的時候都看到這位客戶把腿放在了辦公桌上。這是一個很值得注意的因素，於是小王找來肢體語言的各種書籍，終於找到了該肢體語言所暗示的資訊。最後小王針對該現象採取了相應的對策，這位客戶就被攻下來了。

坐姿其實就是一種習慣，這種習慣也就反映了人的性格，同時也表露了客戶的心理。

❶ 騎跨在椅子上

騎跨在椅子上的人喜歡把腿放在椅子扶手上，這種人想借椅子獲取支配與控制的地位，同時，也希望借椅背來保護自己，因為椅子的後背可以扮演盾牌的角色，它不僅能保護人的身體，還會讓騎跨在椅子上的人產生挑釁與支配的欲望。習慣於騎跨椅子的人一般行為相當謹慎，他們能夠在不引起他人注意的情況下，完成從正常坐姿向騎跨坐姿的轉換。

面對這種坐姿的客戶，你要想使客戶把腿放下來，有一個最簡單的辦法可讓該客戶改變坐姿，那就是站在或者坐在他的身後。因為這樣能夠讓他感到自己容易遭受攻擊，進而不得不改變坐姿。

❷ 「彈弓式」坐姿

這種坐姿意味著冷酷、自信、無所不知，這種坐姿還伴隨著把手放在後腦勺上的動作。有這種坐姿的客戶大多是男性，這種客戶通常用這種姿勢給業務員施壓，或者故意營造出一種輕鬆自如的假像，以此麻痺業務員的感官，讓業務員錯誤地產生安全感，進而在不知不覺中踏上他預先埋好的「地雷」。

針對這種客戶，你要想「攻克」他們，你只需要跟他一起作出「彈弓式」姿勢就能有效地應對他的挑釁，因為透過模仿他的動作，你們之間又重新形成了平等的地位。這樣，客戶對你的態度也會有大的改觀。

❸準備就緒的坐姿

這種坐姿一眼就能看出來，如果客戶在聽完你的陳述後作出準備就緒的坐姿，而且交談的氣氛又相當融洽，那麼這個時候你可以大膽地詢問對方的想法。你多半能得到肯定的回答。你向目標客戶推銷商品的時候，如果客戶在撫摸下巴的動作之後，緊接著作出準備就緒的坐姿，那麼客戶給予肯定回答的機率會超過一半。相反的，如果在業務員給予購買意見之後，客戶先是撫摸下巴，繼而雙臂交叉的話，這筆生意很可能就談不成。

❹起跑者的姿勢

這種姿勢傳達出一種結束會談的願望。表達這種願望的肢體語言包括身體前傾，雙手分別放在兩個膝蓋上，或者身體前傾的同時兩隻手抓住椅子的側面，就像在賽跑中等待起跑的運動員一樣。如果你和客戶交談的過程中，客戶作出了這樣的動作，那麼你最好重新引導他們對你所推銷的產品產生興趣，或者嘗試轉換話題的方向，或者乾脆結束你們的會談。

客戶怎麼坐就像客戶的手怎麼放一樣，蘊含玄機。客戶蹺起二郎腿，顯示他對你的產品不是很感興趣；客戶採用一種「彈弓式」坐姿，證明他想以這種姿勢來對你施壓……因此，在你面前的客戶怎麼坐，腿怎麼放，你都要能識別其中的含義。

業務銷售祕訣▼

正所謂「站有站相，坐有坐相」，一個人的坐姿反映著一個人的個性和修養。在銷售中，當業務員與客戶進行談判的時候，客戶的不同坐姿可以反映出他的態度和心理。業務員要善於從客戶的坐姿中發現有價值的資訊，瞭解潛在客戶的內心，增加成交的可能，提高銷售的效率。

▶規則6

讀懂客戶的幾種笑語

笑是一種包含著無盡含義的語言，可以傳遞出諸多情感。

笑是一種包含著無盡含義的語言，可以傳遞出諸多情感。笑的種類很多，有微笑、冷笑、傻笑、苦笑、哈哈大笑，還有皮笑肉不笑，不同的笑代表著不同的含義。而不同的人笑的習慣也不一樣，有的人笑得爽朗，有的人笑得含蓄，即使是同一個人，在不同的場合和氛圍之中笑的形式也是大有區別的。在業務員接觸的眾多客戶中，會表現出很多笑的類型，而不同類型的發笑則有著不同的含義，表達著客戶不同的心理。

❶ 含笑

含笑是一種程度最淺的笑，它不出聲，不露齒，僅是面含笑意，意在表示接受對方，待人友善。一般的客戶為了表示禮貌，都會含笑對待業務員，即使不喜歡業務員的商品也不至於怒目而對。

❷ 微笑

微笑是一種比含笑的程度稍微深一些的笑。它的特點是面部已有明顯變化：唇部向上移動，略呈弧形，但牙齒不會外露。它是一種典型的自得其樂、充實滿足、知心會意、表示友好的笑。在人際交往中，其適用範圍最廣。客戶對業務員微笑，說明客戶是友好的，易於接近的，特別是一向嚴肅的客戶如果某一次終於對你報以微笑，那麼成交的可能性就很大了。

❸ 輕笑

輕笑比微笑的程度更深。面容進一步發生變化：嘴巴微微張開一些，上齒顯露在外，不過仍然不發出聲響。它表示欣喜、愉快，多用於會見親友、向熟人打招呼，或是遇上喜慶之事的時候。輕笑的客戶表示他很願意見到你，或者對你的商品很感興趣。

❹ 淺笑

淺笑又俗稱抿嘴而笑，表現為笑時抿嘴，下唇大多被含於牙齒之中。它多見於年輕女性表示害羞之時。淺笑表示客戶說錯了話，或者因為某些話題讓人不好意思而顯示出的一種害羞，這時業務員已經獲得客戶的好感，被客戶所認同。

❺ 大笑

大笑程度很深的一種笑，面容變化十分明顯：嘴巴大張，呈現為弧形；上齒、下齒都暴露在外，並且張開；口中發出「哈哈哈」的笑聲，但肢體動作不多。它多見於欣逢開心時刻，心情歡快，或是高興萬分。大笑說明客戶很盡興，或者內心充滿極大的愉悅，這時業務員適時地提出成交要求，則很可能會獲得成功。

❻ 苦笑

苦笑一般出現在遇到比較為難又無法解決的時候，表現了人們內心的無奈和痛苦。在與業務員的談判中，如果業務員給了客戶很多的壓力或者條件很苛刻，客戶一時難以作出決定，就會表現出無奈的苦笑。這時業務員不能夠再給客戶施壓，否則很可能使交易走向失敗，而應該真誠地為客戶提供解決的方案，幫助客戶尋找兩全其美的方案，解除客戶的無奈和痛苦，才會得到客戶的感激和信任。

7 掩著嘴笑

這種笑往往出現在發現別人犯了不該犯的小錯誤，或者作出比較怪異的動作、說出不合常理的話時而偷偷發笑。這種笑並沒有嘲諷的意思，而是充滿了善意。在銷售中，如果業務員的講解或者認識顯得比較膚淺和幼稚時，就會引起客戶掩嘴而笑。這樣的客戶往往知識比較淵博，思維靈敏，比較大度，富有涵養。在業務員面前會表現出一種優越感和成就感。當發現客戶抿嘴偷笑時，業務員不必感到尷尬，用幽默的方式進行自我解嘲，反而會讓自己顯得可愛，更加拉近彼此的距離。

8 皮笑肉不笑

一種很輕蔑的笑，表示對別人不屑一顧，或者對別人的觀點不敢苟同。大多出現在比較嚴肅的客戶身上。如果業務員所推薦的商品或者所說的話無法贏得客戶的信任，客戶就會報以不以為然的笑。

面對客戶的這種笑，業務員不必灰心和失望，而應該積極地尋找機會，改變話題，引起客戶的興趣，並用有力的證據說明自己商品的優點，進而使客戶相信並接受自己的觀點。

業務銷售祕訣▼

業務員在與客戶的交往中，只有善於觀察和分析，才能夠發現笑背後隱藏的真正含義，從中解讀出客戶的內心，把握客戶傳遞出來的資訊。不同的笑反映出人們不同的心情，也反映出了人們不同的性格。笑不僅是一種外在的語言，還是內在心理的外露。因此善於從笑中發現客戶的性格和心理，會給銷售帶來很大的幫助。

從空間距離測量客戶的心理距離

空間的距離從一定程度上反映了彼此之間在心理上的距離。

空間的距離從一定程度上反映了彼此之間在心理上的距離，距離的遠近與關係的親疏密切相關。業務員要善於透過客戶與自己保持的距離來透視客戶的心理，還要善於利用空間的轉換拉近自己與客戶之間的距離，增進彼此的情感，讓客戶接受你，進而接受你的商品。

銷售實戰技巧▼

周正濤是一名電子設備的業務員，他想把自己的電子設備推銷給某工廠，便去拜訪該廠的廠長，但是去了幾次，效果並不是很好。第一次去，廠長避而不見。第二次，廠長去雖然讓他進了辦公室談話，但是也沒有讓他坐下，只是站著聊了幾句，就說有事離開了。

但是周正濤並不甘心，這一天他又來拜訪這位廠長，恰好碰上廠長和自己的秘書正在費勁地搬一台印表機到辦公室裡。於是周正濤主動上前幫忙。周正濤的熱情和善意讓廠長很感動，於是便在忙完之後和他坐在一張沙發上聊起天來，最後愉快地同意試用他的電子設備。

心理學研究顯示：空間距離與心理距離是密切相關的。每種關係都有著不同的距離範圍，陌生人之間不會離得太近，親人之間不會離得太遠。不可否認，業務員與客戶初次見面時，彼此之間難免會有隔閡，客戶對你避而遠之也是情理之中的事情。業務員不能因此而灰心失望，而是應該想辦法縮短彼此之間的距離，使客戶的心漸漸地向你靠近，接受你並接受你的商品。

美國人類學家愛德華・霍爾透過多年的觀察和研究，發現了人們之間的四種距離：

❶ 密切距離

十五公分～四十五公分，這是親人之間的距離，如父母、戀人、夫妻之間，為了給對方以愛撫、安慰和保護而保持較近的距離，使彼此伸手可觸。關係比較密切的同伴也可以離得這樣近。

❷ 個體距離

四十五公分～一・二公尺，這是朋友之間的距離。能夠擁抱或抓住對方的距離。對於對方的表情一目了然，適合促膝談心。

❸ 社會距離

一・二公尺～三・六公尺，這樣的距離超越了身體能接觸的界限，是正式的社交場合人與人之間的距離，給人一種莊重感和嚴肅感。這種距離也適合在一起工作的同事之間，使彼此在工作時既不受他人影響，也不給別人增添麻煩。

❹ 公眾距離

公眾距離分接近型（三・六公尺～七・五公尺）和遠離型（七・五公尺以上）兩種，適合於演講等公共場合，說明說話人與聽話人之間有許多問題或思想有待解決與交流。

彼此之間的空間距離，一般能夠比較準確地判斷出你與對方的關係和密切程度。業務員可以透過在與客戶會面時客戶與你保持的距離，來測量客戶與你之間的心理距離，進而洞察客戶的情感變化，並善於運用空間距離的轉換，使客戶的心向你不斷地靠近。

一般業務員去拜訪客戶，或者是到客戶的家裡，或者是到客戶的辦公室。如果客戶始終把你擋在門外，或者即使把你請進門，也是隔著很遠的距離，讓你站著簡單地說幾句，這說明客戶對你的抗拒和防範心理是十分嚴重的。如果客戶把你請進了家或者辦公室，和你面對面隔著茶几或者辦公桌，彼此坐著進行交談，那麼則顯示客戶對你以及你的商品都是可以接受的，交易成功的可能性也就比較大。如果客戶越過了彼此之間的隔離，願意坐在你的身邊，聽你詳細地講解，那麼只要你稍微爭取一下，客戶就會購買你的商品。

因此，業務員可以透過轉換談判場所來縮短彼此之間的距離，比如把會見的地點換成茶館、酒吧、咖啡廳等比較休閒的場所，創造一種輕鬆和諧的氛圍，減少心理上的陌生感，使雙方的心理距離自然拉近。

業務銷售祕訣▼

業務員不僅要努力地贏得客戶的信賴，縮短自己與客戶之間的距離，還要善於控制這種距離，保持必要的禮貌和尊重。如果業務員和客戶的距離靠得太近，則會顯得不莊重，反而會引起客戶的反感。業務員一定要與客戶保持合適的距離，要既顯得禮貌莊重，又不失禮節，才會使彼此的關係順利發展。

▶規則8

從吃的習慣瞭解客戶的個性

吃不但是人們賴以生存的根本，而且我們還可以從吃中看出一個人的性格。

事實上，吃對每個人來說都是非常重要的。吃不但是人們賴以生存的根本，而且我們還可以從吃中看出一個人的性格。在產品銷售的過程中，業務員有許多和客戶用餐的機會，聰明的業務員在吃飯時不但可以照顧客戶的胃，讓他享受幸福的一餐，還能細心地觀察客戶吃的喜好和吃相，以此來判斷他的性格，進而贏得他的好感，使談話朝著有利於自己的方向進行，最終把商品成功地銷售給客戶。

銷售實戰技巧▼

趙新是某保險公司的業務員，別的同事都整天感嘆：要讓客戶買一份保險真比登天還難！可是趙新在短短一個月裡就成功地銷售出了十二份保險，而且還都是大單子，這樣的成績讓其他同事羨慕不已，他們都追問趙新銷售的祕訣，趙新只說了一個字「吃」。看著別人迷惑不解的樣子，趙新便給他們講了一次他銷售的經歷。

一次他陪一個客戶吃飯，他看客戶吃飯時總是細嚼慢嚥，非常斯文，表現出良好的教養和優雅的禮儀。於是他就斷定他的性格穩重誠實，不喜歡浮誇和招搖。根據客戶的性格，趙新在心裡確定了銷售的方法：

首先，他在言談舉止之間儘量表現得優雅得體，他相信這樣一定可以給客戶留下不錯的印象，有利於他們的交談。然後，在正式和客戶談論保險的時候，他儘量多舉出一些準確的數字和事實來說明，語氣也非常誠懇，他相信自己的表現一定可以讓客戶滿意。果然，客戶說：「你是一個誠懇的人我喜歡，你不像其他推銷員一樣，吹得天花亂墜，惹人討厭。我決定跟你買一份保險。」同事聽了，都驚呼起來：「真想不到，原來吃也有這麼大的學問。」

業務員必須要善於細心發現，從客戶吃的喜好以及他的吃相上判斷出他的性格，這樣才能瞭解客戶的內心，進而把商品成功地銷售給客戶。從吃中看出客戶的性格，是業務員必須掌握的一個技巧，同時也是優秀業務員的標誌和象徵。當然，人分南北食分五味，不同的人在食物的選擇上往往有不同的偏好。業務員可以從客戶吃的喜好上判斷他的性格。

❶ 愛吃米的客戶

性格穩重謹慎，喜怒不形於色。他們往往精打細算，有較強的忍耐力，善於自得其樂，很少自尋煩惱，待人處事比較圓融。與這類客戶打交道，業務員一定要務實，為他們提供價格適中的產品。

❷ 愛吃麵食的客戶

性格熱情爽朗、心直口快，喜歡大言不慚，情緒不穩，容易衝動，做事不計後果，遇到挫折容易失去信心。與這類客戶打交道，要抓住他們心無城府的特點，清楚他們的購買底線，為自己爭取最大的利潤。但千萬不要太貪心，把客戶當成傻瓜，不然，客戶一時衝動，將會帶來難以估量的後果。

❸ 愛吃油炸食品的客戶

性格熱情，喜歡冒險，總想幹一番事業，可是一碰到挫折就灰心喪氣。如果你想銷售一些新商品、新服務，這類客戶往往是你最好的選擇。

此外，業務員也可以從客戶的吃相上判斷他的性格：

❶吃飯時喜歡細嚼慢嚥的客戶

一般都受過良好的教育，有較好的修養。他們往往性格穩重誠懇，做事講究事實根據，但是缺乏冒險精神。和這類客戶打交道，業務員一定要表現出良好的修養，儘量多為客戶提供一些事實資料，這樣能夠得到他們的信任。

❷吃飯時喜歡狼吞虎嚥的客戶

他們往往都是急性子，做事冒冒失失，可是常常犯考慮不周的毛病。和這類客戶打交道，業務員一方面要理解客戶的急切需要，同時又要按部就班，為客戶提供滿意的服務。

❸吃得多可是卻骨瘦如柴的客戶

他們往往精打細算，總希望用最少的錢買最好的東西。和這類客戶打交道，業務員一定要堅守自己的底線，能做就做，不能做就不做，不要無限制地退讓。

業務銷售祕訣▼

一個人的性格往往能從各方面表現出來，吃就是其中的一個方面。業務員可以抓住「吃」，準確地把握客戶的性格，為自己成功銷售鋪平道路。

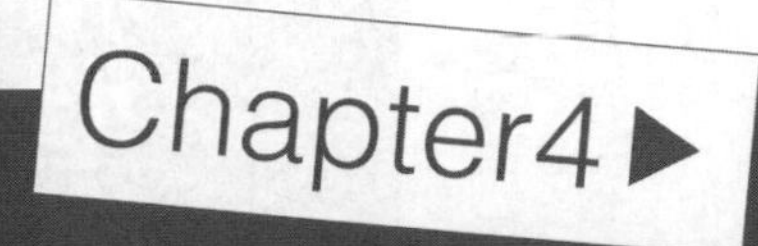

讀懂顧客性格——
一眼看穿10種**顧客類型**，給他一個掏錢的理由

產品分門別類，而客戶也是各不相同。你如果不能一眼就看出你面前的潛在客戶是什麼類型的人，試想你能採取準確的銷售策略去對其進行銷售工作嗎？客戶就是上帝，如果你不能一眼看穿客戶的心理，你又怎麼能夠獲得銷售工作的成功呢？

隨和型客戶購買心理：我需要你的感動

這種類型的人相處會沒有壓力，但是他們在銷售關係中卻是最難成交的客戶。

隨和型客戶性格溫和，態度友善。當業務員去向他們介紹或者推銷產品的時候，他們往往會比較配合，願意聽業務員的「嘮叨」，往往會被業務員牽著走。即使業務員表現得很不熱情、很不積極，他們也能容忍，不會輕易發脾氣。

隨和型的人通常有以下特徵：辦公室裡有他在各地旅遊時拍下的照片，辦公桌前放著全家福或者他愛人、孩子的照片。他們通常比較隨和，樂於聽取別人的意見及看法，有良好的溝通能力，給人以親切的感覺。與這種類型的人相處會沒有壓力，但是他們在銷售關係中卻是最難成交的客戶。

業務員在與之溝透過程中，他們說得最多的話就是「好」，無論什麼都以「好」作為結束語，唯一說「不」的時候就是不買產品的時候。他們購買產品或服務時會考慮很多因素，且不會對別人造成影響。他們經常會問：「這個產品容易操作嗎？會不會影響別人？」

面對隨和型的客戶，想要順利地推銷出產品，一定要注意：每個人都有自己的購買特點，隨和型的客戶也不例外，瞭解其購買特點很重要。讓這類客戶購買產品需要有計劃地進行，比如選擇一個良好的時機，提供一份關於產品的所有資料並報出一個合理的價格。要注意的是隨和型的客戶會去不同的地方問價，如果你的產品不能比對手的產品更好，那麼你獲勝的可能性就會大減。

一般情況下，隨和型的客戶作出決定的時間會很長，所以業務員不能太急，也不能給予否認或者懷疑，要把握分寸，適當地給予對方思考的時間並加以引導，這樣才能保證推銷的成功進行。

銷售實戰技巧▼

B君是某工程設備公司駐某地的總代理，一次偶然的機會打聽到一家公司需要幾套他代理的設備，於是他當即便打電話詢問了一下該公司的負責人員。

B君：「喂，是A總嗎？您好，我是XX公司的B君，是某設備的總代理。聽說貴公司正在尋求幾套大型的XX設備，我們公司正好有，如果您需要的話，我拜訪一下您，您看方便嗎？」

A總：「哦，方便方便，我們正想多學一些這方面的知識呢！歡迎歡迎。」

（拜訪時）

B君：「您就是A總，久聞大名。」

A總：「你就是B君呀！來來來，我們都是很隨和的人，就直接向你請教了，這些設備是我們新上的，對於技術方面的知識知道得很少，你們來了，正好向你們請教些專業知識。」

B君：「沒問題，我們一定竭盡所能幫助您。您儘管說吧……」

……

A總：「不瞞你說，你已經是第三個賣家了，與其他賣家相比，你還是有優勢的。看在你是本地人的分兒上，我們現在就保持聯繫，但是合作與否，還要看你們的品質。」

從此後B君與A總經常聯繫，B君中途還與之交談了幾次。就設備安裝的問題，公司內部的技術人員也登門拜訪了好幾次，最終順利地促成了這筆生意的成交。

隨和型的客戶所期待的服務是要隨時保持良好的溝通，他們希望得到的是一種被動的分享，因此在溝通的過程中要有非常大的耐心。他們決策的時間很長，因為他們對於問題的恐懼程度比較高，不喜歡承擔風險，尤其不希望因為自己的原因而造成不應該有的損失。因此在與之合作時，要給予其保證，使其放心，這樣才可能促使交易順利完成。B君在做這筆生意時，做到了及時溝通和主動聯繫，這對生意的最終促成產生了至關重要的作用。

隨和型客戶性子比較慢，因此業務員不能太過急躁地推銷商品，而應該努力地配合客戶的步調，慢慢引導客戶，用專業的商務語言給客戶積極的建議，消除其心中的疑慮，最終促成交易。

隨和型客戶的缺點就在於做事缺乏主見，比較消極被動，在購買時總是猶豫不決，不容易作出決定。一旦別人給其施加壓力，就會很快促成交易的成功。當然施加壓力的方式方法一定要正確。譬如，業務員要始終把主動權抓在自己的手裡，用自信的言談給予客戶積極的建議，並多多使用肯定性的語言加以鼓勵，而且要多從客戶的立場來討論問題，在潛移默化中使客戶作出決定，這樣才是比較合適的做法。因為，隨和型的客戶雖然害怕受到壓力，但是卻不喜歡受到別人的強迫。作為業務員要想說服這種類型的客戶，最隱蔽而有效的方法就是消除客戶的疑慮，用真誠來給客戶製造壓力，攻破客戶的心理防線，使客戶沒有拒絕的理由。

業務銷售祕訣▼

情感是維繫人與人之間關係的樞紐，情感也是打動人心的因素。作為業務員，你對客戶就要帶有情感，喜歡你的客戶，關心你的客戶，把他們當成你的親人一樣去對待，這樣你的付出得到的回報也會是巨大的。

專斷型客戶購買心理：用你的真誠和為人處世的小技巧打動他

專斷型的客戶高高在上，經常拒絕別人，不給人說話的機會，喜歡控制別人。

專斷型的客戶大多缺乏耐心，性格上大多有以下特點：一旦出現任何不滿，不管大小，立即會表現出來；沒有什麼耐性，總是喜歡用教訓人的口吻來抬高自己；自尊感極強，甚至渾身上下都帶有一股濃濃的火藥味。在推銷過程中，經常會遇見這樣的客戶：他們的態度總是很冷峻，給人以高高在上的感覺，經常拒絕別人，不給人說話的機會，喜歡控制別人，總是處於命令的狀態，相處起來也不是很容易。推銷員珊珊就碰到了這樣的情況。

銷售實戰技巧▼

客戶B君是珊珊所在公司的代理商，屬於很不好相處的那類人，被大家稱之為「刺頭」。平時合作中，他提的要求最多，問的問題也最多，因此業務員都不敢「碰」他。

珊珊雖然年輕，但在實際工作中累積了豐富的經驗，她被分到了客戶B君這裡做汽車產品的分銷。珊珊的公司是生產汽車用品的，銷售對象以汽車裝潢美容店為主。雖然事先早已耳聞這個客戶的刁鑽，但珊珊相信自己能搞定他。

第一天到客戶B君的公司，客戶B君約珊珊第二天去談。

第二天，珊珊到客戶公司時已經九點（客戶公司上班是八點三十分），客戶B君早已等在辦公室，看到珊珊就罵說：「不是約你一早過來嗎？現在看看已經幾點了？」珊珊紅著臉沒有說話，但是心裡想：「看來這個客戶工作還挺嚴謹的，以後得注意了。」接著客戶B君給珊珊宣佈了他們公司的一些規章制度，安排珊珊先熟悉一下他們公司的環境，儼然把珊珊當做自己的下屬看待。

三天後，客戶B君安排珊珊與業務員一起去二級市場跑業務，在市場中珊珊發現好多問題。

首先，客戶B君對二級大客戶完全沒有掌控能力；其次，產品展示的不好，廠家的宣傳標誌很少出現，樣品的擺設也不好；最後，產品沒有按統一價出售。

發現這些問題後，珊珊迅速給客戶B君提出了解決方案。但是，客戶B君聽了珊珊的三點建議後說：「希望你把這些問題和建議用書面形式寫出來，並且明細其解決方案，不要流於表面，解決問題才是關鍵。」

珊珊一愣，心想：「這個人態度怎麼這樣？態度冷淡也就不說了，怎麼一點都不能聽取別人的意見呢？幫你提問題，你卻覺得這是在抱怨，這就是對待下屬的態度嗎？」

當然想歸想，問題還是需要解決的，珊珊立即開始尋求解決方法，並去向產品D的銷售經理請教。由於產品D與珊珊的產品不是競爭對手，加上代理商H的努力推薦，還有珊珊謙虛的態度，產品D的銷售經理與珊珊分享了許多成功的祕訣。珊珊根據自己的代理商和公司的特點，重新為B君提出方案。方案提出來之後，珊珊向公司報告，得到公司批准後便開始進行操作，結果公司產品的銷售量一下子提升了很多，並得到了公司的獎賞。

在這個案例中，客戶B君就是一個典型的獨斷專行型的客戶。客戶B君非常難纏，幾乎接近「霸道」。在案例中有兩處表現：一是給珊珊宣佈自己公司的規章制度，珊珊並不是他的員工，可是他卻越權安排珊珊的工作流程，而且控制欲太強；二是珊珊不是他的下屬，但客戶B君卻直接安排珊珊去跑業務，這也說明了這個客戶的霸道。

對於獨斷專行的人，我們最佳的合作態度是服從，因為他們有支配別人的習慣。對於這種客戶，推銷員一定要有時間觀念，約好什麼時間談工作就一定要按時赴約。在交談中，思路要清晰明瞭，切忌拖泥帶水，更不要閃爍其詞或是詞不達意。需要記住的是，避免與對方發生衝突的最好方法是不要和對方的觀點對立或者在不恰當的時候提出反對意見，否則合作很容易失敗。總之，推銷員要懂得滿足對方的支配欲望，這樣合作才能順利進行。與這種客戶合作的重點在於減少與對方產生對立的機會，但是又要適當地堅持自己的立場。我們的應對策略是：

(1) 要有一套完整的企劃案，讓對方明白，合作是有益處的。

(2) 在其要求合理的前提下，完成任務滿足其要求，這樣工作才能進行下去。

(3) 適當地滿足其控制欲，以便合作雙方相處愉快。

業務銷售祕訣▼

一名業務員要學會消除對客戶的恐慌心理，尤其是面對專斷型客戶時。就像喬・庫爾曼所說的那樣：「回首往事，我覺得自己非常愚蠢，就是因為害怕見那些大人物，沒有勇氣去推銷，失去了很多寶貴的機會。」只有當你的內心消除了恐懼，才能真正走上一個新領域。別不敢承認自己害怕，承認自己恐懼才能使情緒穩定。怕丟臉，才是真正的愚蠢。

▶類型3

愛慕虛榮型客戶購買心理：讚美是屢試不爽的祕密武器

讚美和期待具有一種能量，它能改變人的行為。

讚美，是說話者對受讚美者的認可和欣賞，而受讚美者則能夠從中獲得很大的愉悅感、優越感以及成就感。不可否認，讚美和期待具有一種能量，它能改變人的行為。當一個人獲得別人的讚美時，變得自信、自尊，獲得一種積極向上的動力，並盡力達到對方的期待，以避免讓對方失望。

生活中每個人都有虛榮之心，愛慕虛榮是一種很普遍的心理。比如，人們總是喜歡與有名氣的親戚和朋友盡量靠近；熱衷於時髦服裝，對時尚的流行產品比較敏感；不懂裝懂，害怕別人說自己無知；當受到別人的表揚和誇讚時，沾沾自喜，揚揚得意，自我感覺良好……這種虛榮的心理在日常生活中十分常見並且難以避免。

毫無疑問，人人內心都有一顆虛榮的種子，只要這顆種子不發芽，不損害別人的利益也就無可厚非。作為推銷人員，面對客戶的虛榮時，就要真心地去讚美他們。讓客戶逐漸放鬆警惕及敵意，談話的氣氛就會在輕鬆的狀態下進行下去。虛榮型的客戶一般自尊心很強，比較好面子，由於天性驕傲，因此在與之合作時，只要適當地滿足其虛榮心，推銷即可成功。下面這個例子就是如何讓虛榮型客戶滿心歡喜進而不知不覺地購買產品的一個情景：

銷售實戰技巧▼

美國商人鮑勃決定在自己的家鄉捐造一所學校用以紀念他的母親。紐約一家小座椅生產公司的老闆，即後來成為著名商人的約翰，想獲得該學校座椅的生意，於是他就和鮑勃約定好見面。見面時做了簡單的自我介紹之後，約翰便一臉真誠並極其自然地說道：「鮑勃先生，我在等著見您的時候，我流覽了一下您的辦公室，心想如果我能有這樣的辦公室，那該有多好，我從來沒有遇見過設計得如此棒的辦公室。」

鮑勃聽完高興地說：「這個辦公室很漂亮是不是？這是我親自設計的，室內的佈局也是我一手安排的，當時確實花費了我一些心思。」約翰一邊仔細地聽著，一邊走過去用手摸摸壁板，說道：「這是英國橡木做的，對嗎？和義大利橡木稍微有些不同。」鮑勃回答：「嗯，那是從英國本土運來的橡木。我略懂一些木料方面的知識，這些資料都是我親自挑選的。」

隨後鮑勃領著約翰參觀他當初幫助裝飾公司設計的房間格局、裝飾圖案及牆壁的顏色等。當他們在室內讚美木工的手藝時，鮑勃走到窗前站住了腳，然後親切地顯示自己要捐造一所學校，用以報答社會。約翰適時熱忱地贊許了他這種慈善的舉動。鮑勃隨後又走過去打開一個木製的匣子，取出一架他從前買的攝影機，他告訴約翰，這是從一位英國發明人手中買來的，約翰再次及時地給予了鮑勃讚美。

約翰從上午十點走進鮑勃的辦公室，到中午的時候他們依舊親切地交談著。最後鮑勃對約翰說：「上次我去澳大利亞，在那裡買了兩張椅子，當時感覺很好，可是當我把它們放在陽臺上，沒過多久椅子的漆就被曬褪了，我實在是很喜歡這兩把椅子，於是就買了漆回家自己動手油漆那兩把椅子，你願意去我家看一下那兩把椅子現在的模樣嗎？」約翰欣然同意。

在鮑勃家用餐後，鮑勃把那兩把椅子指給約翰看。那椅子每把不過十五美元，但是鮑勃卻異常喜歡，因為是他親手油漆的。約翰又開始讚美，最終結果是約翰拿到了十萬美元的訂單。

約翰很聰明地把握住了鮑勃的性格，他明白鮑勃喜歡被讚美，甚至有些虛榮，於是約翰投其所好，盡情讚美，談話的效果不言自明。「每個人都有虛榮心，每個人都喜歡被讚美，尤其是虛榮型的客戶，對讚美的要求更高。讚美的話，別人聽了舒服，自己的身分也不會因此受到損害，於人於己都有好處，何樂而不為呢？」約翰說出了他生意興隆的祕密武器。

人人都有虛榮心，但是讚美別人時要適度。若是太多，就容易讓客戶產生不真實感，就會使客戶對你的人格有所懷疑，進而對你產生戒備心理，讚美就會變得適得其反。因此讚美時要把握分寸，這樣才能讓客戶滿心歡喜，以此達到推銷的目的。

客戶之所以購買東西，除了滿足日常的物質所需之外，也是對自身精神需求的滿足。比如，現在的粉領族年輕女性，流行週末到大商場瘋狂購物，其實她們買的東西不一定都很實用，她們很多是透過買東西來排解壓力讓心情放鬆。如果在購買過程中，不斷地聽到業務員讚美自己的相貌、身材、氣質、風度、職業等，內心就會獲得極大的滿足，進而忘掉壞心情，開心地享受生活。

業務銷售祕訣▼

讚美這把雙刃劍，對從事行銷工作的人有很大的作用。因此，應該熟悉、掌握它。不僅要懂得珍惜它，恰到好處地運用它，最重要的是要真誠地運用它。多讚美你的客戶吧，你會發現，語言的力量是巨大的。透過讚美，你打動了客戶的心，那麼你的生意也就來了。

精明型客戶購買心理：我能否得到實在的優惠呢

工作認真、處事謹慎，對細節問題把握得十分精確的客戶，在溝通時表現得小心翼翼。

也有這樣的客戶，他們工作認真、處事謹慎，對細節問題把握得十分精確。在溝通時他們會表現得小心翼翼，對推銷員的第一印象十分在意，如果你在初次交談時留下不好的印象，那麼將來的合作將會困難重重。此外，他們討厭欺騙，哪怕是善意的謊言，這種類型的客戶被稱為精明型的客戶。精明型的客戶包括「盡責型」和「執著型」兩種類型，對他們的銷售方法應該因人而異。

❶ 對「盡責型」客戶來說，行為規範很重要

「盡責型」客戶的共同特徵就是有很強的分析能力，做事很嚴謹，任何問題都逃不出他們的眼睛，經他們手的工作一般都是萬無一失的。

這樣的特點，使得他們對人對事都很挑剔，他們不會輕易相信一個人，這種類型的客戶屬於「難纏」的一種。當然問題總有解決的方法，對待這樣的客戶，要懂得他們的要求，要保持真誠使客戶有安全感。與這樣的客戶相處時，你的一切都要井然有序，尤其是對細節的把握更要注意。

銷售實戰技巧▼

小吳是一家化學原料公司的推銷員，公司生產的主要產品是化學試劑，品質很好。有個農藥廠需要一批化學試劑，小吳就去那個農藥廠推銷產品。剛開始推銷時，小吳就是簡單地「遊說」，根本沒有考慮該客戶的特點，結果溝通了好幾次東西還是沒有賣出。尤其是當小吳說出該老闆的同行買的也是自己的產品時，該客戶竟然有些疏遠小吳，最後小吳終於敗下陣來。

不久後，小吳的同事小王接手了這筆業務。他分析了該客戶的類型，於是在拜訪前先把自己產品的各項資料準備好，在與該客戶溝通時，把說話的重點放在技術方面的討論上，把產品的各項技術難題都解釋給該客戶，結果不久後，該客戶就簽訂了這筆訂單。

「盡責型」客戶講求事情的準確性，他們的分析能力和觀察能力很強，因此掌握一定的資料對他們來說很重要。在與之合作時，應盡可能多地提供一些準確的資料。與標新立異型的客戶相比，「盡責型」客戶不喜歡攀比，即使他的朋友已經買了你的產品，你也不要以為他會買單，他們購買產品往往要透過自己多次分析。

此外，對待「盡責型」客戶還應注意以下幾方面事項：從工作方面來講，你思路要清晰，方法要具體，態度要嚴謹；從生活中來講，你的穿著要得體、行為要端正、沒有不良習慣。談話時要冷靜不急躁，談話內容要有條理，最好能記筆記，談話時記錄對方的要求，讓對方明白你是在認真傾聽。他們喜歡你對所推銷的產品作詳細說明，以便瞭解更多關於產品的資訊。當然，在說明這些資訊時，要保持其真實度。不管怎樣，推銷員的整體行為規範要和這類客戶的習慣相近，這樣你才有成功的可能性。

對於推銷員來說，這樣的客戶可能在前期屬於比較難合作的對象，但是從長期來看，這類客戶是最穩定的類型。一旦他們同意與你合作，那就代表他們相信你，你已經透過了審核。當然，在他們成為你的固定客戶後，你也不能懈怠，因為他們有善於觀察的本性，如果你有絲毫怠慢或者欺騙的成分，那麼合作很可能會被終止。以上是「盡責型」客戶的基本特徵以及應對策略。

❷ 對於「執著型」的客戶來說，道德規範很重要

與「盡責型」客戶有相同的特徵，「執著型」客戶也生性穩重，做事仔細，工作態度嚴謹。不過與之不同的是，他們更注重合作對象的道德品格。他們可以忍受對方在立場方面的瑕疵，但是，如果對方的道德水準過於低下，那麼雙方的合作將變成不可能的事情。

與這樣的客戶合作時，一定要保持真誠的態度，要確保他們對你完全信任。需要提醒的是，在與這類人合作時，一定要清點一下自己的推銷記錄，如果曾經出現過某種問題，要及時彌補，若被這類客戶發現，你的可信度會立即降低，合作的成功機率也會大打折扣。

這一類的客戶還有一個很大的特點，就是很少買陌生人的東西，他們願意從有多年交往經歷並十分信任的人那裡買東西。這裡有一個「三年規則」的典故，講的是商家如果到北卡羅萊那州東部的小鎮上做生意，一定要有足夠的耐心熬過生意的頭三年，如果沒有足夠的勇氣，那就請放棄。因為這裡的人們普遍喜歡觀察，他們會觀察你的以下方面：你是否可靠？你是否能夠說到做到？有沒有社會責任感？是否有愛心？對待社會公益工作的態度？是否有一個和睦的家庭？是否誠實？是否言行一致？如果你能順利度過這三年，那說明你的道德規範符合他們的

要求，你已經通過了這些人的「考試」，隨後你將得到人們的信任，光顧你店鋪的人將會越來越多，你的生意之路即可得到轉折，即使有時你的產品比別人的價格高一些也沒有什麼關係。

總的來說，與精明型客戶合作不能過於著急，也不要總是一味地「損人誇己」，對待工作要盡職盡責，給客戶留下一個可靠的印象。最重要的是萬事以規範為主，只要你做事的方法符合他們的規範要求，那就代表你已經贏得了他們的心。

業務銷售祕訣▼

碰上精明型客戶也許是一件頭疼的事情，因為不管你怎樣解說，他們都會挑剔你的產品，都會和你討價還價。但這也是他們的弱點，你就抓住這一弱點，給他們一點優惠，那麼這種客戶也能成為你的忠實客戶。

▶類型5

炫耀型客戶購買心理：炫耀型消費就是你的天然好機會

和炫耀型的客戶談話時，推銷員只要聽他們自誇就可以了。

對於很多客戶來講，有些時候消費往往不計較得失，只要自己願意花得高興。例如對於某些女人來講，存半年薪水買LV限量版包包卻仍然興高采烈。你或許說她虛榮，但很多時候我們買東西看的並不是它的使用價值，而是希望透過這樣東西顯示自己的財富、地位等。所以，有些東西往往是越貴越有人買，比如一輛豪華轎車、一支昂貴手機、一棟豪宅、一頓天價年夜飯……制度經濟學派的開山鼻祖凡勃倫將此稱之為炫耀性消費。

生活中百分之九十九以上的家長都認為自家的孩子是最好的。如果家長聽到別人讚美自己的孩子，比如「這孩子怎麼這麼可愛啊」或「喲！這孩子真聰明」等，家長通常會很高興，而且臉上的表情會告訴你他有多開心。與朋友交往時如此，與客戶交往亦應該如此！有這樣一類客戶，他們很愛炫耀，和他們談話時，推銷員只要聽他們自誇就可以了，這種類型的客戶屬於炫耀型的客戶。

如果在朋友家客廳壁櫥上看到一件精緻的瓷器，你可能會脫口而出：「這件瓷器真不錯，讓客廳整體顯得十分有神韻，誰買的？真有眼光！」這句話也許只是你無心說出來的，但你的朋友聽到這句話後，一定會很開心。

所以，當你與客戶初次見面寒暄過後，用可以利用的機會開始讚美別人。如果是在客戶家中，可以讚歎客戶家居的設計風格獨特，屋內的傢俱品味不凡等，還可以談，如客廳擺放的花如何雅致，顏色如何亮麗等。如果是在客戶的辦公室，就要誇讚其辦公室的整體風格，很讓人賞心悅目以及客戶的辦公效率等，只要是能用上的褒義詞請儘量用上。

當然，這些都是生活中最常見的讚美的話語，也許你會覺得缺乏創意，事實的確是這樣，專業的推銷員會把讚美的話語放在比較隱喻的方面上。他們不會直接讚美客戶，但是有可能會在客戶面前讚賞客戶的接待人員。這樣做的效果是，表面上你是在讚賞接待人員，其實你已經在背面讚美了你的客戶，因為只有他們平時對屬下管理有方，下屬才會讓客人滿意，你讚美接待人員的同時也就意味著你的客戶也被你讚美了。

推銷員讚美別人時必須很誠懇，要讚美客戶在乎的東西，才會有效果。

銷售實戰技巧▼

有一對夫妻結婚已經十年了，卻一直沒有孩子。夫妻二人覺得家裡太冷清，於是養了幾隻小狗讓家裡的氣氛變得熱鬧一些。

妻子對小狗十分疼愛，就像自己的孩子一樣。有一天，丈夫下班剛回到家，妻子就迫不及待地對他說：「咱們買一輛新車吧。反正你也想換，星期天某公司的推銷員就來談這件事情，我都預約好了，你看怎麼樣？」

丈夫聽完後臉色立刻變了：「我是說過想換，但是你做這件事情怎麼不先和我說呢？」原來，這位妻子是被那個推銷汽車的推銷員讚美得不知所以了，所以才私自決定買車的。那位推銷員說自己很愛狗，也略懂一些養狗方面的知識，他看到這家的狗後，就開始了讚美，說這些狗的血統純正，是價格不菲的狗種。

這位妻子被推銷員讚美得很是開心，對推銷員也不再厭煩，並約好他星期天和自己的丈夫談論買車事宜。

其實這位丈夫的車確實應該換了，雖然他很想換一輛新車，但是他去看車的時候選擇性太多，一直沒有決定好買哪輛車。星期天，推銷員準時赴約，從見面寒暄開始，推銷員便開始了他的讚美。他把這位先生讚美得彷彿沒有一絲缺點，這位丈夫剛開始還有一絲不快，可是漸漸地便放鬆了戒備，不久之後便同意買車，並簽下了合約。

每個人都喜歡被讚美，炫耀型的客戶尤其如此，多說一些讚美的話，既能贏得客戶，又不會有什麼損失，何樂而不為呢？

業務銷售祕訣▼

炫耀型客戶最大的特點，就是心裡藏不住東西，他們不會掩飾，有什麼資訊都會拿出來炫耀，因此，在與之合作時，只要你能巧妙地隨時讚美他，那麼合作基本會成功。

內斂型客戶購買心理：我能否真切體會到你的真誠

內斂型的客戶更十分細心，不會表現得太熱情。

內斂型的人大多性格比較封閉、不易接近，感情比較深沉，不善言辭，待人接物小心翼翼，害怕與陌生人接觸，喜歡獨處。反映在消費的過程中，內斂型的客戶總會精挑細選，甚至久久拿不定主意，這使業務員的工作很難開展。特別是業務員上門推銷的時候，內斂型的客戶更會提高戒備心理處處小心，對業務員態度冷淡，說話甚少使交談的沉悶。

雖然內斂型客戶少言寡語，表面上看似反應遲鈍，對業務員推銷的商品表現出不在乎的神情，甚至在業務員介紹商品時不發表意見，但是，其實他已經在認真傾聽，並在心裡細想商品的好壞了。這樣的客戶十分細心，只是基於對陌生人戒備和警惕的本能，因此不會表現得十分熱情，即使是對業務員的觀點表示贊同，也只會簡單地應承一句，而不說太多的話。這種態度往往讓業務員感到十分有壓力，以為客戶不願意理自己，對自己的產品沒有興趣，進而主動放棄推銷。

內斂型的客戶最大的一個特點就是任憑你口若懸河、引經據典地評說，他們依然氣定神閒、無動於衷，彷彿在很認真地聽你講，但似乎又心有所思，這樣的情況常令業務員不知所措。其實，內斂型的客戶在聽你的講述時也正在算盤，只不過他們一時不能迅速整合業務員提供的資料，因而思考的時間比較長。但是一旦這些客戶分析完自己掌握的資料，認為自己足夠瞭解了業務員推銷的產品時，合作的成功性就會很大。

針對內斂型的客戶，推銷專家建議在溝通過程中，講話要富有條理性和專業性，要把合作的優點和缺點展示出來，提供的資訊要儘量全面，要有耐心，並適時保持沉默，給客戶以足夠的思考時間進行決策。

「沉默是金」被美國商人當做生意中的「黃金法則」。商業往來中，聰明的美國人常常在適當的時候保持沉默，以一個傾聽者的姿態出現。這樣不僅給對方留下一個嚴謹工作的印象，更為合作者留下了合適的思考空間。

銷售實戰技巧▼

小王是某品牌電腦的業務員。一天，一位先生來到店裡看電腦。櫃檯裡的兩名業務員趕緊上前主動向他打招呼，並再三詢問他需要什麼樣的機型。在這兩名熱情洋溢的業務員的輪番轟炸之下，這位客戶明顯有些窘迫不堪，他甚至漲紅了臉，最後簡單地說自己只是隨便看看，就準備離開了。

小王在遠處觀察時看出該客戶是一個比較內向的客戶，根據他的判斷，客戶的心中肯定已經確定了某一品牌的電腦，只是因為款式或者價格等因素所以還在猶豫，剛才業務員的輪番轟炸，讓他有些不知所措了。這時，小王上前很友好地把那位先生請到自己的櫃檯前，對他說：「先生，您是不是看上了某款電腦，覺得價格不合適？如果您確實喜歡，價格方面還可以給您適當的優惠，先到這邊坐坐吧，這邊比較安靜！」那位客戶很順從地坐了下來。在聊了十幾分鐘後，那位先生明顯對小王產生了信任感，於是便向他透露了自己的真實想法。小王按照客戶的想法推薦了一款適合客戶的機型，並且在價格上也比較實惠，最終促成了生意。

內斂型的客戶嘴上不說，但是心裡有數。他們往往不輕易發表意見，但是如果開口，所提的問題總是會切中要害，很實在也很尖銳，使業務員難以應付。實際上，內斂型的客戶並不是冷若冰霜、難以溝通，而是在冷漠的神情之下掩蓋著一顆火熱的心。只要透過他的判斷，覺得你比較誠懇，就會自然表達出十分的善意，等到彼此熟悉起來，他就會十分信任你、依賴你，甚至讓你替他作決定。這種類型客戶在購買過一次你的產品後，如果覺得很好，就會有下次、下下次的交易。所以，業務員要善於觀察和分析客戶，拉近彼此之間的距離。只要能夠準確地把握住客戶的類型，對症下藥，問題就會得到很好的解決。

業務銷售祕訣▼

面對內斂型的客戶，業務員一定不要信口開河，應把話題集中在產品的優點上和售後服務上，煽動、激發客戶購買的欲望。態度要誠懇、穩重，注意談話的態度、方式和表情，給對方留下良好的印象！面對內斂型的客戶，有時候需要用一種「溫柔的」態度面對他們，只需提供詳盡的資訊資料，然後適時地保持沉默，給客戶和自己都留有思考和轉圜的餘地，合作會更容易達成。

▶類型7

分析型客戶購買心理：直到我挑不出毛病

任何情況下都不能和那些理智好辯的分析型客戶爭論。

對於業務員而言，記住：任何時候、任何情況下都不能和那些理智好辯的分析型客戶爭論。因為你永遠都不可能獲勝，不管你占了上風還是下風。實際上，客戶之所以愛分析，最終還是想要買到實用的、完美的產品，使自己得到實惠。他們比較注重安全感，追求一種放心的結果。只有當他們的疑慮全部化解的時候，才會接受產品。

相對於那些看上了就買、拿起來就走的爽快客戶，分析型客戶買一樣東西一定要左比右比，左挑右選，確定沒有任何問題之後才會購買。他們在購物時，最大的特點就是疑心重，愛挑剔，喜歡分析。

面對這樣的客戶，業務員也要學會分析，透過客戶的種種表現仔細地對他們做一番深入的分析，把握住客戶的心理，進而採取適當的對策來俘獲客戶的心。業務員與客戶交談時，說話要注意邏輯，語速要慢，吐字要清晰，顯示出比較嚴謹的推銷風格。對客戶要作詳細的產品說明，越詳細越好。業務員如果為求省事，對產品少作說明，甚至不作說明會遭受客戶懷疑。

在與分析型客戶見面的時候，一定要給客戶留下一個好的印象。介紹商品時儘量詳細，並要仔細詢問客戶的需求，適時地做些記錄，說話不誇張，不撒謊，也不能強迫客戶購買，因為這樣的客戶往往很有主見，並且追求完美，有著自己的行為信條，不願意受人左右。所以，業務員要注重細節，避免引起客戶的反感。

銷售實戰技巧▼

小蕭是賣防盜門的，一次他打電話約見一位客戶，電話中他對客戶說九點左右到，而客戶卻顯出不悅的語氣，要求小蕭九點二十分準時到，並帶上詳細的資料。電話中小蕭感到客戶要求比較嚴格，是一個難以應付的客戶。所以需要自己做好比較全面的準備。

有了一定的心理準備，小蕭到了客戶的家裡並沒有太多的緊張。本來想和客戶開個玩笑，以緩和氣氛，但是看見客戶嚴肅的表情，覺得有些不合適。向客戶作產品介紹的時候，小蕭說得特別詳細。在客戶詢問時也回答得比較有條理，還把客戶的意見用小本記了下來。這一點讓客戶很滿意，覺得小蕭是一個細心穩重的人。

在交談中，小蕭發現客戶對於一些關於產品的資料很感興趣，於是他就給客戶提供了一份產品的市場調查報告，使他瞭解自己產品的真實銷量，這一點小蕭很自信，因為防盜門的銷量確實很好，對客戶也很有說服力，透過一連串的比較，客戶對於小蕭的防盜門是比較滿意的，最後客戶決定要買，就等談價格了。小蕭也瞭解到客戶是一個善於分析的人，對數字比較敏感，所以在說價格的時候，說得很精確，以一定的優惠來吸引客戶，也讓客戶覺得合理，最終順利成交。

在小蕭推銷的過程中，他都是隨著客戶步調走的，並逐步摸清了客戶的心理，投其所好，營造了一個井然有序、按部就班的氛圍，而這正是分析型的客戶所喜歡的。總之，分析型的客戶考慮比較周全，那麼業務員就應該做到更加周全，只要能在細節上讓客戶心服口服，交易自然就會成功。

業務銷售祕訣▼

分析型客戶有點像會計人員，做事一定要仔細地分析，比較注重事實和資料，追求準確度和真實度。如果業務員約見這樣的客戶，他們要求的時間是很精確的，他們的腦海中沒有模糊的時間概念，他們不說「午飯以後到」，而是說「十二點三十分到」。此外，在實際的數量和價格上，分析型的客戶要求都比較精確，他們不喜歡模棱兩可的概念。因此，在選購商品時，分析型客戶總會慢條斯理，表現得十分謹慎和理智。

猶豫不決型客戶購買心理：他真的需要你的建議

這種客戶儘管在簽單的時候猶豫不決，但是他們只要決定購買產品就不會變卦。

從心理的角度分析，猶豫不決型客戶大多情緒不是很穩定，忽冷忽熱，對一些事物往往沒有什麼主見，而且喜歡逆向思維，總是盯著事物壞的一面，而不去想好的。

猶豫不決型客戶相對於其他類型的客戶而言，更容易生成訂單，因為這種客戶儘管在簽單的時候猶豫不決，但是他們只要決定購買產品就不會變卦。而他們缺少的只是作決定的推力，這種推力就需要業務員來給予。這類客戶比較注重細節，他們比較理智，相信自己的判斷，他們不會因為自己的好惡來決定買或不買，因此，在選購商品時，這種類型的客戶總會慢條斯理，表現得十分謹慎和理智。

這類客戶喜歡提問題。對於他們提出的問題，業務員最好給予明確的答覆。如果你試圖迴避一些問題，那麼他們的疑惑將隨之增大，合作成功的可能性也會隨之變小。對於猶豫不決型的客戶來說，產品品質以及服務水準的高低、價格以及優惠活動是他們考慮最多的因素。

與這樣的客戶打交道是一件非常困難的事情，有時候會被客戶的挑剔弄得不知所措。因此，在與猶豫不決型客戶交手的過程中，一定要嚴謹，講求條理性，在細節上做到無可挑剔。如果業務員過於大意，就容易失去客戶的信任，甚至引起客戶的厭煩。

面對猶豫不決型的客戶，業務員也要學會分析，並且透過客戶的種種表現，自信地對他們做一番深入的分析，把握住客戶的心理，進而採取適當的對策來俘獲客戶的心。一般來講，對待這一類的客戶，業務員要認真傾聽，並從他們的要求中獲取資訊。與客戶交談時，說話要注意邏輯，語速要慢，吐字要清晰，顯示出比較嚴謹的推銷風格。對客戶也要作比較詳細的產品說明，越詳細越好。猶豫不決型客戶喜歡聽業務員「嘮叨」，他們會從業務員介紹的細節中來獲取有用的資訊，以做分析判斷。如果業務員為圖省事，對產品少作說明，甚至不作說明，反而會遭受客戶的懷疑。

當然，現實中的情況會複雜一些，以下是一些經驗豐富的業務員針對猶豫不決型客戶所提供的幾個「逼單」的方法：

❶ 假定客戶已經同意簽約

猶豫不決型的客戶通常有購買意向，但卻總是不能下定決心購買產品。此時，你可以試著採取這個方法：強行主導客戶的思維，並對其進行誘導，進而完成簽約。比如，客戶明白某產品肯定是有益於公司的發展的，但是由於知識的欠缺，他表現出猶豫不決的樣子。此時，業務員就可以抓住時機對客戶說：「X總，您可以先做一下嘗試，試一下效果，如果效果好了，再決定是否繼續訂購使用我們的產品，這樣做更保險一些。反正花費也不高，您覺得呢？」這樣的建議實際上是把客戶的思維直接引到業務員這邊了，此時客戶考慮的就不是買不買的問題，而是怎樣合作的問題了。

❷解除客戶的疑慮

有些客戶即便已經決定購買產品了，還是不會迅速簽下訂單，他們時常會在一些細節問題上琢磨，進而延誤簽單的時間。遇到這種情況時，業務員應該迅速轉變說服策略，詢問客戶相關問題，給予客戶最為清晰的解答，一旦所有的問題都解決了，客戶決定簽單的時間也就到了。

❸欲擒故縱

有些客戶已經對你的產品表示出了興趣，所有關於產品的細節問題也已經得到了滿意的答覆，可是本性使然，他就是拖拖拉拉不簽單。此時業務員不妨試試欲擒故縱這招。業務員可以裝作要走的樣子，慢慢地收拾自己所有的東西，在收拾東西的這一小段時間內，這類客戶可能就會下定決心簽單。需要注意的是，這種方法要在適當的時間和場合才能運用，不然很容易被同行搶佔先機了，那你的努力就白費了。

業務銷售祕訣▼

猶豫型客戶就需要業務員的建議，因為他們自己拿不定主意，更願意把自己的決定交給業務員來做。所以業務員要抓住這一機會，成為客戶信任的人，幫助客戶決定讓交易完成，所以你要做的就是給客戶好的承諾。

▶類型9

標新立異型客戶購買心理：我需要的就是個性

標新立異型的客戶不在意產品本身，他們關心的問題是誰在用它。

個性是自我的象徵，但是個性也不為人們所接受。只要一聽說要和有個性的客戶打交道，相信大部分的業務員都會害怕。其實，作為業務員，對這種客戶也不要先入為主，不要認為凡是有個性的客戶就是一些難纏的客戶。

標新立異型的客戶通常衣著隨便但是非常時尚，且能夠從他們的衣著上看出潮流的影子。與他們交談時，他們會表現的朝氣蓬勃，因為他們談話時眉飛色舞，肢體語言相當豐富，當然談話一般都是坐在沙發上進行的。至於談話的內容，大部分會離工作很遠，他們喜歡抒發個人感想以及一些新鮮時髦的話題高度關注。他們的個性比較自由，個人想法比較多，喜歡廣交朋友，是人際關係處理方面的高手。他們的行為不拘小節，所以遲到是司空見慣的事情。

與這類客戶溝通時你會發現，他們根本不會注意所推銷產品本身的品質及特性，他們關心的問題是誰在用它，如果他的朋友或者是同行的競爭者在用你的產品，那麼，他很可能也會購買你的產品，因為這類客戶往往會把購買當成是展現地位、身分與品味的象徵。很多標新立異型的客戶在購買名表名車的時候，產品使用功能往往會被忽略，他們注重的是產品是否可以展現其身分。

和標新立異型的客戶談判時，最重要的是你要有很好的口才，你要換一種溝通方式，話題一定要廣泛，天文、地理、奇聞、異事、時政、經濟等都可以作為談話的切入點。在談話過程中，也要以輕鬆的方式進行溝通，如果條件許可，談話可以在一個非正式的場合進行，比如咖啡廳、酒吧等。溝通時，如果你表現得口若懸河，對對方提出的話題給予肯定並加以補充，能夠找到話題的「新鮮點」，讓對方覺得你知識淵博，就可以引起他們對你的崇拜，此時你適時地加入產品的介紹，合作成功的機率就會變大。需要注意的是，在介紹產品時一定要注意渲染，比如說某知名企業或某知名人士也用了這款產品之類的話語，這對交易的促成非常有幫助。

追求時尚是當今年輕人買東西的首要考慮，大多數的年輕客戶都比較喜歡時尚、前衛的東西，他們有著敢於嘗試的勇氣，有著自己另類的信念和品味，他們是引領時代潮流的人。因此，他們在買東西時總是喜歡比較另類、新奇的東西。這類客戶有著強烈的好奇心，並樂於接受新事物。業務員在面對這種類型的客戶時，要學會適當地予以認同，譬如說「小姐，您穿上這件衣服真有個性，有一種與眾不同的感覺」、「您真有眼光，這件衣服是新貨，您可是第一個購買的」。當喜歡標新立異的客戶聽到這樣的話後，心裡一定會很高興。

銷售實戰技巧▼

有一位年輕的女士來到服裝店準備給自己選購一款比較合適的風衣。她邊走邊看，終於在一件設計比較時尚、個性的風衣面前停下了腳步。店員見狀就走上前對她說：「小姐，喜歡的話可以試穿一下，我看您的身材比較高挑，這件衣服一定可以顯出您優美的身材。」

這位年輕的女士挑了一件試了試，臉上露出了滿意的笑容，並詢問店員衣服的價格。

店員回答說：「五千八百元，而且因為店慶的原因，如果您現在購買的話還可以給您打九五折。我看這件衣服特別適合您，建議您購買一件吧！」年輕的女士很爽快地回答說：「好的，這件衣服我要了！」

店員見生意談成，心情也是非常高興，她邊包衣服邊讚美地說：「小姐您真是太有眼力了，很多人都喜歡這種款式的。」「哦？是嗎？」那位小姐聽了這話以後，沉默了一會兒，然後微笑著對店員說：「不好意思，我想我還是不要了吧！」

那麼，到底是什麼原因讓店員到手的生意瞬間告吹了呢？究其原因就是因為店員沒有弄清楚客戶的類型而說錯了話。很明顯，在上面那個案例中的女士屬於標新立異型的客戶，穿著講究與眾不同，這種類型的客戶最不能容忍和其他人穿著一模一樣的衣服。試想面對著這樣的客戶，店員最後的那句讚美的話怎麼能不使生意泡湯呢？

所以，銷售員在推銷過程當中，要善於從客戶的言談舉止中發現其心理傾向，然後滿足其購物心態，使客戶滿意你的產品和服務，否則很可能因為一句錯誤的推銷語言而使生意泡湯。反之，當客戶在購買時獲得他人的注意和銷售員的認同就會感到愉悅，也就比較容易接受銷售員的意見了。

業務銷售祕訣▼

面對有個性的客戶，對於業務員而言，你自己也要變得有個性，這樣才能和他們走在一起，他們才會認為你是同道中人。試想，你西裝筆挺地去拜訪一位穿著隨意、不修邊幅的客戶，到時候不要說客戶，就是你自己也覺得格格不入。

▶類型10

墨守成規型客戶購買心理：我得弄明白到底有何用途

面對墨守成規型的客戶必須要拿出足夠的耐心。

墨守成規型的客戶一般都比較保守，這種類型的人在生活中不論做什麼事情都比較有規律，講究條理，不隨便改變。

在消費觀念上，墨守成規型的客戶則總是喜歡在同一家商店買東西，認定某個牌子後就會一直用，對其他的商店或者品牌則沒有太大的興趣。他們往往總是被一些先入為主的觀念所左右，而一旦形成固定的印象就很難改變。這樣的客戶是最難說服的，往往銷售人員費了很大的氣力，但最終的結果卻並不一定很好。

墨守成規型的客戶更易接受物美價廉的商品，他們追求產品的優等品質，同時也希望價格比較合適，他們一般不會對太過高檔的商品產生興趣。

在他們看來，太過高檔、不實用的消費都是奢靡的。基於此，這一類型的客戶接受新產品比較緩慢，他們需要對產品的品質與功能進行綜合考慮。只有當他們確認產品是實惠的、安全的，才會選購該產品。所以銷售人員在面對這樣的客戶時，必須要拿出足夠的耐心，急於求成只會讓客戶產生懷疑，讓交易泡湯。

銷售實戰技巧▼

小王是一個負責推銷某品牌洗衣機的業務員。一日，他來到一個客戶的家裡做推銷，接待他的是一位帶著明顯警惕表情的中年婦女。

小王一邊和客戶談著，一邊觀察客戶家裡的傢俱陳設，他發現客戶家中的擺設整齊而大方，雖然有些傢俱牌子已經比較老了，但是很明顯品質還是非常不錯的，整個房間的風格有著一種強烈的古樸味道，而且家電陳設方面基本上都是同一個品牌。此外，結合這個中年婦女的言談，小王基本可以斷定女主人是一個生活作風頗為保守的人，她對於產品的要求更加注重品質，消費水準屬於中上等。

在獲得了這些比較直觀的印象之後，小王心中便有底了。他首先找了個話題，談及了女主人家的家電，說女主人有眼光，選的產品很符合家庭佈局的格調。無疑女主人聽了十分開心，在言談中還透露出一些自豪感，她說當時全部家電都是由她來負責選購的，而且丈夫也很滿意。

小王於是乘機誇讚女主人能幹、有主見，接著他自然而然地把自己推銷的洗衣機的性能、價位、售後服務等資訊詳細地向女主人做了說明。當女主人透過對比發現這款洗衣機確實適合自己時，便對產品產生了濃厚的興趣。小王還不失時機地對女主人說，他所推銷的洗衣機品質的確很好，而且還可以首先試用一週，這樣又給客戶吃了一顆定心丸。後來女主人試用以後感覺非常滿意，甚至很乾脆地購買了兩台洗衣機，一台自己用，一台送給了婆婆使用。

墨守成規型的客戶總對自己之前使用的產品情有獨鍾，要他們接受新的產品是比較困難的事情。但是畢竟他們還是喜歡更加安全、更加實用、更加優質的產品的，所以業務員要讓客戶在實際的比較中發現新產品有更好的性能，這樣就會慢慢地改變客戶的觀念，讓他接受你的商品了。

對於業務員而言，只要讓客戶瞭解得失利弊，並能夠提供物美價廉的商品，就可以輕易地打動客戶。

業務銷售祕訣▼

墨守成規型的客戶一般思維都比較保守，性格也比較沉穩，不易接受新事物。在生活中，墨守成規型的人總是循規蹈矩，喜歡用一些框架來約束自己，他們做事往往表現得很細心、很沉穩，善於傾聽，更善於分析，眼光也比較挑剔，在選購商品時更加注重安全、品質和價格。他們會對商品作出理智的分析和判斷，只有當他們確認產品適合自己使用時才會購買。

Chapter5 ▶

贏的就是心態——
銷售中常用的9種**心理學策略**

為什麼某些商品的價格定得越高，反而越受到消費者青睞？難道客戶都是傻瓜嗎？當然不是，他們購買這些天價商品的目的並不僅僅是為了獲得直接的物質滿足，更大程度上是為了獲得心理上的滿足。由此可說，銷售是一場心理戰，誰能夠掌握客戶的內心，誰就能夠成為銷售的王者！

▶策略1

經常微笑你就能成為最受歡迎的人

微笑是打開人與人之間關係的最好方式，又是給人留下好印象的開始。

俗話說「無笑莫開店」，意思是做生意的人要經常面帶笑容，這樣才會討人喜歡。這也如另一句俗語所說：「面帶三分笑，生意跑不掉。」紐約一家大型百貨商店的人事部主任也曾公開表示，他寧願雇用一個有著可愛微笑的小學畢業的女職員，也不願雇用一位面容冷漠的哲學博士。

微笑是打開人與人之間關係的最好方式，又是給人留下好印象的開始，銷售工作中只要堅持這種微笑的表情，那麼你的客戶肯定會接受你。微笑的美麗是無窮的，它恰似撲面而來的春風，能撥動客戶的心弦，調節談話的氣氛，增加與客戶的密切關係。微笑能化解冷漠、疑慮和陌生感，獲得客戶更多的認同。

富蘭克林．貝特格是聖路易紅雀棒球隊的三壘手，退役以後成為了全美國最成功的保險業務員之一。他說，他好多年前就發現，一個面帶微笑的人永遠受歡迎。因此，在進入別人的辦公室之前，他總是停下來片刻，想想他必須感激的許多事情，綻開一個大大的、寬闊的、真誠的微笑，然後當微笑正從他臉上消失的刹那，走進去。這種簡單的技巧，與他推銷保險如此成功有很大的關係。

世界一流銷售大師原一平總結出了笑容的六大好處：

(1) 笑容可以輕易除去兩人之間的牆壁，使雙方的心扉打開。

(2) 笑容是傳達愛意給對方的捷徑。

(3) 笑容有傳染性。你的笑會引發對方的笑，你的笑容越純真、美麗對方感受越大。

(4) 笑容會消除自己的自卑感，且能補己不足。

(5) 將多種笑容搭配使用，就能洞悉對方的心理狀態。

(6) 類似嬰兒的笑容最能誘人。

用微笑去對待每一個人，那麼你就能成為最受歡迎的人。

笑臉是美的和令人喜歡的，業務員的笑臉即使不那麼迷人也不要緊，要大膽地笑。如同嬰兒般的微笑可以透過訓練獲得，可以對著鏡子練，同時在與人打招呼時要養成笑嘻嘻的習慣，一笑心情就放鬆了。平時你可以把周圍的人當成客戶練習笑，並不斷地累積經驗，這樣，當遇到真正的客戶時你就會自然地把笑容帶出來。而這種自然、真誠、純淨的笑容才是真正動人心扉的笑容。

事實上，你的客戶需要微笑，客戶希望看到業務員是積極的、擁有自信的，只有這樣，客戶心情才能放鬆；客戶放鬆了心情，推銷雙方的距離才能拉近，客戶才願意與業務員進一步交談，合作才能成為可能的事情。

銷售實戰技巧▼

在一次大型的汽艇展示活動中，很多客戶都在參觀汽艇模型。

在這次展會中有一位石油富翁對一艘大船表現出了很大的興趣，他對那艘船的業務員說：「這艘船多少錢？」那位業務員很平淡地告知了其價格，富翁雖然對這艘船很感興趣，但是看著業務員「平淡」的臉，他悻悻地走開了。

當他走到下一艘展示船面前時，業務員臉上掛著燦爛的微笑向他打招呼，這使得富翁心情輕鬆了許多，於是他再次問了一句：「這艘船多少錢？」

業務員仍然面帶陽光般的微笑告知了客戶船的價格，並且說：「請您先參觀一下這艘船。」

就這麼簡單，業務員先用微笑打動了客戶，然後再推銷自己的產品。石油富翁參觀了遊艇之後滿意地簽下了一張訂購單，並且很開心地對業務員說，他很喜歡別人時時微笑的樣子，因為別人向他微笑就表示他被人們所喜歡，而他也很享受這種感覺。

業務銷售祕訣▼

微笑是一種非常有效的銷售武器，是一種可以讓所有對你心存戒備的客戶放下他們的武器。作為業務員，請不要吝嗇你的笑容，你要善於使用你的這一武器。接待客戶也如此，推銷時微笑，顯示你對客戶交談抱有積極的期望。笑臉相迎，即使理由不充分也會得到對方的好感。

▶策略2

注意傾聽，恰當把握客戶的購買需求

強化客戶的需求或者增強客戶的好奇心，激起客戶的購買欲望。

在銷售過程中，如果客戶對你所提供的產品反應並不積極，你就要對其進行必要的說服、展示，進而強化客戶的需求或者增強客戶的好奇心，激起客戶的購買欲望。如果客戶已經明確表明自己有某種需求，你就要讓客戶知道你能夠提供他需要的產品或服務，並且能夠讓他滿意。

銷售實戰技巧▼

美國有一家汽車公司需要一批汽車墊，公司人員正在安排訂購這批產品。由於這是一筆很大的生意，獲利的空間很大，因此很多廠家都希望得到這筆訂單，競爭很激烈，但是最終有可能接下這筆訂單的廠家只有三家。這三個廠家實力相當，提供的樣品品質也不相上下，汽車公司通知這三個廠家，約好時間到公司來開會以商討細節問題。

廠家當然都明白這次會議的重要性，三個廠家都在來之前做了充分的準備。其中一個廠家選派的代表哈里先生思維嚴謹，說話很有條理，舉止氣度不凡。會議當天，三個廠家的代表都準時到達汽車公司，與汽車公司的負責人進行具體的溝通。在會議中，另外兩家的代表為了給汽車公司留下一個良好印象，發言積極，口若懸河，輪番介紹產品及服務特點，汽車公司的負責人聽得連連點頭，但就是沒有表態。

輪到哈里發言時，他沒有說一句話，只是向大家微微鞠了一躬，然後用紙片寫了一句話：「諸位，實在對不起，我突然得了喉炎，說話不方便，為了不影響大家，我已經準備好了貴公司所需要的關於我們廠產品的資料。如哪位能替我介紹一下，我將萬分感謝。」寫完之後把紙條交給了汽車公司的負責人。

負責人看完這張紙條後把它向眾人讀了一遍，隨後一邊仔細看資料，一邊向大家介紹哈里的產品和一些相關的資料。最終的結果是：哈里獲勝了，他拿下了這筆生意。因為負責人向大家介紹資料的時候，哈里適時地保持了沉默，負責人自己完全掌握了哈里產品的所有資訊，而且哈里的資料把產品的利弊通通展示出來，讓負責人一目了然，減少了資訊整合的時間，這樣既大大地方便了負責人，也把負責人和哈里拉到了同一條戰線上。這幫助哈里拿到了訂單。

對於業務員而言，光會說話不行，光自己一個人說更不行，還要能使客戶說話，並善於聆聽客戶說話。對方說話，要全神貫注地聽，要放下手中的工作，雙手交叉放在膝蓋上，身子稍微前傾些，好像全身心投入到與對方的談話之中。較重要的話要注意做好記錄，要注意與對方目光的交流。不要評價，要自然而然地作出聆聽的動作。有疑問時，可打斷對方（一般不要打斷），重申自己的觀點，問對方對否，要心平氣和地聽客戶講話，不可帶有敵意，不帶任何偏見，並注意總結、概括或重申對方講話中對自己有利的一面。

出色的業務員必須掌握聆聽的技巧，然而這卻是銷售行業中最容易被忽視的一個問題。

通常，在銷售產品時，百分之七十的時間是業務員在講話，客戶只用了百分之三十的時間說話。這種做法有時雖然可以提高客戶的關心和熱情，但卻不能引起客戶下決心時必須有的自信和理智。

一個購買你產品的客戶，在他覺得有充分的根據之前，他是不會輕易下決心或採取行動的。新的銷售技能，是要訴諸客戶的理智。於是，說話者和傾聽者的比率應該倒轉過來，客戶說話的時間變為百分之七十，而業務員在提供產品之前一直當聽眾。直到後來，才應客戶的要求說出貨品的價格，介紹公司所能提供的產品，然後以幾句簡要的交代做個總結。

如何使客戶講話呢？業務員可以採用詢問法，當說明告一段落後，可以問：「那麼，你覺得怎樣？」「我認為這套教材對你兒子非常適合，不知他今年多大？」大部分客戶會說：「今年X歲，但是這教材有點貴呀。」從這些回答中，你可以知曉客戶的心態。他雖然可能想要買，但是錢的問題仍然困擾著他。既然知道了客戶的想法，那麼業務員就應回到主題，強調商品的好處，以及他兒子與這種商品的關係，並且再度詢問，重新試探客戶的反應，那時客戶的回答或許又不一樣了：「錢是小事，只是不知道我老婆……」

用這種詢問的辦法，就能夠抽絲剝繭地知道對方的顧慮。要讓客戶心滿意足，就應確切掌握客戶的喜好和想法，再以此為中心慢慢推進，這就是巧用傾聽技巧的商談要訣。

業務員在傾聽客戶談話時，應注意做到：

❶ 要耐心地聽

無論是不同的觀點，還是使人惱怒的話，都讓客戶把話說完，不可粗暴地打斷客戶。因為耐心地傾聽是業務員對客戶尊重的很好表示，有利於拉近業務員與客戶之間的相互關係。要善於體察客戶的感覺，設身處地替客戶想一想，不要急於做結論，要爭取弄懂對方談話的全部意思，接受和關心客戶，認真幫助他尋找解決問題的途徑，不要做與談話無關的事情，或面露不耐煩的表情，不必介意客戶談話語言和動作的特點，應將注意力放在談話的內容上。

❷ 要有積極的回應

要使自己的傾聽獲得良好的效果，不僅要用心地傾聽，而且還要有回饋性的表示。可以隨對方表情的變化而改變自己的表情，並用簡單的肯定或讚賞的詞語適當地插話。這樣，客戶會認為業務員在認真地傾聽，進而願意更多、更深地講出自己的觀點。要注意不斷將資訊回饋給對方，以檢驗自己的理解是否正確，並引導客戶談話的內容。

❸ 摸清客戶的真實意圖

業務員在傾聽客戶說話時，必須摸清客戶的真正意圖，只聽其話語的表面意思是遠遠不夠的。傾聽客戶談話時，要能控制自己的感情，不要總想占主導地位，一個總想表現自己的業務員，是不會很好地傾聽對方談話的。

業務銷售祕訣▼

在銷售過程中，我們要善於說，但是我們也要善於聆聽。會聆聽的人是一些真正懂得尊重別人的人，那些只會在別人說話時打斷別人的人，或者別人說話時三心二意的人，都將是一些失敗的業務員。因為，成功的業務員都必須要去抓住客戶的心理，這樣你才能把握住客戶的購買需求。

▶策略3

穩中求勝，讓客戶變主動

制定策略不能急於求成，迫切的銷售心理和推銷心態會使你欲速不達。

在銷售過程中，業務員經常會聽到客戶表達的諸多不滿和異議，其實這些客戶大多是在找藉口拒絕購買產品，或是試圖以此壓低產品價格。對此，業務員如果不能準確識別，就容易失去客戶或是誤入客戶的「小圈套」，最終偏離銷售主題。

俗話說「心急吃不了熱豆腐」，這句話運用到銷售行業也有一定的道理。有很多業務員一開始做業務時，會直接詢問客戶是否需要這種產品，這樣的開場白很容易引起他人的反感。客戶會認為你是想儘快賺到錢才這樣急切地想銷售掉商品，這樣自然而然地就會降低對你的信任度。

業務員通常是憑藉著業績來評定能力的，所以業務員的工作激情都很高，銷售欲望自然也很強。但是在實際的銷售過程中難免會碰壁，這時單憑銷售自信已經不夠了，要制定的策略千萬不能急於求成，迫切的銷售心理和推銷心態會使你欲速不達。

銷售實戰技巧▼

張昊是某公司的業務員，他是個爭強好勝的人，希望透過自己的努力作出好的成績，所以平時工作也很認真，還因為業績突出榮登過公司的銷售光榮榜。後來公司裡來了幾個優秀的業務員，業績很突出。於是他心裡有些不服，想要超過他們。這樣的想法是好的，但是表現在行動上，張昊則顯得有些急躁，每次有客戶光臨，他總是忍不住希望客戶能夠立刻簽約，他總是不停地催促客戶，這反而讓客戶感到厭煩，本來到手的生意反而泡湯了。這樣，張昊看著自己的業績每況愈下，心裡更是著急，在銷售中更加忍不住一遍又一遍地催促客戶購買，如果客戶拒絕他就會很生氣。慢慢地張昊開始變得脾氣暴躁，動不動就想罵人，在工作中也是經常出錯，引產生客戶的不滿，最後因為客戶的投訴太多，公司不得不讓張昊先回家休息一段時間。

欲速則不達，張昊的急於求成，致使他不僅沒有提高業績，反而嚴重影響了工作，弄巧反成拙。

由此可見，在銷售工作中急躁不僅成不了事，反而會誤事，更有可能使人因為急於求成而無法達成目標，進而走向消極，甚至灰心絕望。容易急躁是一種不良的情緒，對業務員的工作有諸多負面的影響，因此業務員要改正自己的習慣，調整自己的心態，注意工作的節奏感，保持一顆平常心，從容地應對自己的工作。

穩中才能求勝，過於急躁反而會漏洞百出，業務員沉不住氣，對客戶一再催促，容易引起客戶的反感。以這種態度對待客戶是不正確的，也是不禮貌的。可能客戶有著自己的考慮，有著自己的安排，業務員應該學會耐心等待，這一方面是對客戶的尊敬，另一方面也表現出自己的穩重，同時也會避免在銷售過程中出現不必要的錯誤。

要成功地銷售自己，就要先和客戶成為朋友，先取得對方的信任，之後再去銷售商品，這樣你的推銷工作才會變得遊刃有餘。在與客戶交流的過程中，要不斷地消除客戶的戒備心理，第一次與客戶見面時，客戶對你一無所知，自然就對你和產品產生戒備。那麼怎樣才能消除這種戒備心理呢？這就要求業務員在與客戶接觸時，在說話、肢體語言、表情、儀態上下工夫。

業務員在與客戶溝通時，還要不斷地瞭解客戶的需求，發掘客戶的潛在想法，這樣才能獲知客戶的消費心理，進而成功地銷售商品。此外，業務員要適時地進行自我暗示，提醒自己：「要冷靜，急躁只會把事情弄得更糟。」進而控制自己的情緒，以避免急躁情緒引起不良後果。

為了能夠讓客戶對你敞開心扉，你必須想客戶之所想，在最短的時間內多多瞭解客戶的身分、經濟實力、購買緣由以及購買商品的重點等內容，然後適時地抓住客戶的心態。可以透過以下方面判斷客戶的情況：

(1)目光：瞭解客戶想什麼。

(2)聲音：瞭解客戶是什麼樣的人。

(3)衣著：分析客戶的相關背景。

(4)談吐：獲知客戶的購買意圖。

做推銷工作同時要具備耐心和毅力，最重要的就是心態要放穩，不能急於求成。要知道，在行動上失誤，就容易在自己銷售的道路上留下敗筆。

業務銷售祕訣▼

如果在銷售工作中客戶始終處於被動，業務員的工作是很難開展起來的。業務員在做產品介紹時，可以運用一些問題作為每一次產品性能的描述，以此促使客戶更多地參與到產品展示中來。讓客戶參加到產品展示問答中來，不但可以讓業務員更好地控制產品展示的場面，還能更多地引起客戶的注意，活躍展示現場的氣氛，並且可以更好地引導客戶的心理，促使其最終作出購買決定。

▶策略4

談判桌上以退為進的制勝策略

生意上的談判是一場沒有硝煙的戰爭。

生意上的談判是一場沒有硝煙的戰爭，談判桌上雖然沒有戰場上的刀光劍影或槍林彈雨，但也是互相交鋒，爭鬥激烈。談判過程中有時需要打持久戰；有時需要打速決戰；有時需要打游擊戰。能否在談判中取得預期目標，就要看業務員的經驗與智慧了。以退為進是談判桌上常用的一種制勝策略和技巧，銷售新人應根據實際談判情況靈活掌握。

銷售實戰技巧▼

某畫廊曾經發生了這樣一件事：畫商看中了一位畫家帶來的三幅畫，標價為每幅二百五十美元，畫商不願出此價錢，雙方談判陷入了僵局。那位畫家被惹火了，怒氣沖沖地跑出去，當著畫商的面把其中一幅畫燒了。畫商看到這麼好的畫被燒掉，感到十分可惜，他問畫家剩下的兩幅畫願賣多少錢，回答還是每幅二百五十美元，畫商又拒絕了這個報價。這位畫家把心一橫，又燒掉了其中一幅畫，畫商連忙求畫家千萬別再燒這最後一幅。

最後這位畫商問畫家願賣多少價錢時，畫家說道：「最後一幅畫能與三幅畫賣一樣的價錢嗎？」最後，畫商竟然不得不以六百美元的價格買走了這幅畫。

當時，其他的畫的價格都在一百美元到一百五十美元之間，而畫家的這幅畫竟然賣了六百美元，這位畫家所採用燒掉兩幅畫以吸引那位畫商的「以退為進」策略，是因為他知道自己的三幅畫都被這位畫商看中了，燒掉了兩幅，剩下了最後一幅畫，勾起畫商的佔有欲望。同時，他事先還瞭解到，這個畫商對他愛上的東西，是不肯輕易放棄的，寧肯出高價也要收買珍藏。聰明的畫家施展這一招「以退為進」果然很靈，一筆成功的生意就這樣談成了。

如果談判過程中遇到「僵局」，銷售新人切忌用過激的言語去回擊對方，一定要有耐心。為了駁回對方不確實際的要求，這時就可採取「以退為進」的辦法。

業務銷售祕訣▼

在銷售談判中，不管雙方有多麼大的誠意，也不管雙方提出多少個有創意的方案，由於雙方存在著利益上的對立，最終避免不了要經過或明或暗、或動或靜的討價還價。其中，報價是談判開始的主要內容。這也是談判桌上「退」與「進」的靈活運用，業務員掌握了這種技巧，就有利於更好地掌控談判局面。

▶策略5

反覆刺激客戶的購買興趣點

如果抓不可以吸引客戶的理由，再多的功能和優勢都沒有用。

作為業務員，我們必須要相信這句話：每一個客戶都有一個「key buying point」，也就是找到客戶對你的產品的興趣發生點。不管你的產品有多少個自以為可以吸引客戶的理由，面對每個客戶必須要因人而異的對待，因為對客戶來說可能只有一項對他來講是最重要的。因為，事實上沒有人會對自己不感興趣的商品投入過多的精力，而如果是自己感興趣的事情則會情緒激昂熱烈參與。這種心理也可以為業務員在銷售中說服客戶時所利用，主動去迎合客戶感興趣的話題，拉近與客戶之間的距離，進而做進一步的交流，為最終的銷售鋪平道路。

銷售實戰技巧▼

自從安藤百福（台裔日籍企業家，原名吳百福，一九一〇年三月五日～二〇〇七年一月五日）發明了世界上第一包速食麵後，日本的速食麵就想打進美國市場。但當時速食麵還是世界上的新事物，美國人還從來沒有聽過「速食麵」這一詞，他們能接受這種產品嗎？於是安藤百福針對美國人的狀況，採用了「投其所好」的策略。

安藤在研究美國人的消費心理中發現，美國人的生理需要和心理需要主要表現在減肥上，而低卡路里的速食麵正符合這種需要。於是，安藤把麵條切得短些，以利於美國人用叉子吃；

把湯的味道做得更符合美國人的口味；還給它取了個「杯麵」的名稱，適合於美國人用紙杯吃東西的習慣；再加上個廣告名詞：「裝在杯裡的熱牛奶」以及「遠遠勝於快速湯」。正是這種投其所好，日本的速食麵一進入美國市場，就受到美國人的熱烈歡迎，銷售量成直線上升。

安藤的「投其所好」的策略正是迎合了客戶的興趣，所以才打開了市場。不僅在宏觀市場上如此，即使人與人相處時，更是如此。在人與人交往的過程中，常常會出現「惺惺相惜」的情況，即人和人之間的行為模式越相似，就越容易形成人際關係。社會心理學認為，相似性是人際吸引的重要因素，它包括年齡、性別、社會地位、經濟狀況、教育水準、職業、籍貫、興趣、信念、價值觀、態度等方面的相似，其中以態度、信念和價值觀為最主要的。

志趣相投的人是很容易熟識並建立起融洽的關係的。業務員和客戶之間也是一種社會交往，如果雙方沒有共同語言，那是很難進行交流的，更別說推銷商品。如果業務員能夠主動去迎合客戶的興趣，談論一些客戶喜歡的事情或人物，把客戶吸引過來，當客戶對你產生好感的時候，購買你的商品也就是自然而然的事情了。

業務銷售祕訣▼

成功學大師卡內基曾經說過：「尋找他人的興趣點，並表露你自己的興趣，交談將更加容易繼續。」這裡所謂的興趣點是指對方關注的或熟悉的事物。在銷售過程中，當你發現無法與客戶建立起順暢的溝通，不能順利步入產品介紹步驟時，你應該及時調整策略，那就是瞄準客戶感興趣的事物，以此作為溝通的切入點，順利打開客戶的心扉。

▶策略6

多利用慣性思維引導客戶

每一位客戶都會有慣性思維，正是慣性思維使他們作出相應的決定。

每一位客戶都會有慣性思維，正是慣性思維使他們作出相應的決定。而作為業務員，就要好好地利用好客戶的慣性思維，引導客戶一步一步走向自己想要的結果。所謂慣性思維，是指人們從事某項活動時一種預先準備好的心態，它能夠影響後續活動的趨勢、程度和方式。這種慣性思維要是出現在業務員身上，則是銷售的大敵；但是這種思維要是出現在客戶身上，那就是業務員的幸運，因為業務員可以利用客戶的慣性思維來成功地賣出自己的產品。

銷售實戰技巧▼

阿B是某品牌的音響店員。一天，一位客戶來到阿B的櫃檯，諮詢購買喇叭的事宜。阿B拿出了第一張測試碟片，給這位客戶講解。這位客戶聽了一下，說：「這個音質明顯有缺陷，低音力度不夠，背景總感覺有雜音。」

一聽客戶對產品有疑問，阿B趕緊暫停播放，將碟片取出，看了下說：「先生果然專業，一下子就聽出來了。這張是盜版光碟。為了對比測試，我們準備了兩張光碟，就只為了讓客戶能夠瞭解到其中的差異。」

阿B邊說邊把碟機裡面的碟片拿出來，接著換了另一張同樣的光碟。「先生您注意了，現在這個低音明顯效果突出了很多，特別是那種空間餘震的感覺。低頻效果，是首先感覺到的，然後才是聽到，你感受一下這種臨場的超低頻震撼感……你再聽下背景音樂，其實電影中的背景音樂，就是為了襯托出劇情，你留意那背後蟋蟀的叫聲，在你後方的左邊環繞。」

客戶聽完阿B的介紹，覺得很滿意：「正版碟片效果就是不一樣！」

最後，客戶二話不說就買走了一套音響設備。

其實這兩張碟片是一樣的，但是經過店員的解說，就出現了一個正版，一個盜版，客戶也明白盜版和正版的差異，佩服店員的專業。這就是客戶的慣性思維。那麼該如何利用客戶的慣性思維呢？

❶ 揣摩客戶的心理

業務員和客戶談話的過程，其實就是雙方互相揣摩對方心理的過程，有怎樣的心理就會說出怎樣的話，這一點業務員一定要瞭解。所以，業務員在與客戶談話的過程中，要能從客戶的話語中揣摩出客戶對自己的產品是不是喜歡，是否接受了自己的看法。

❷ 業務員要把問題設計好

業務員在與客戶談話之前，要把想問的問題設計好，這樣在和客戶談話的過程中就能引導客戶的思維。

業務銷售祕訣▼

我們很多的決定就是在慣性思維的影響下作出的，客戶購買產品，有時候也會受慣性思維影響，因此，你就要好好地把客戶的慣性思維利用起來。

讓客戶的拒絕托詞說不出口

從事推銷活動的人，可以說是與拒絕打交道的人，戰勝拒絕的人，才是推銷成功的人。

通用集團前CEO傑克．威爾許曾說過：「從事推銷活動的人，可以說是與拒絕打交道的人，戰勝拒絕的人，才是推銷成功的人。」其實，在銷售過程中，從開始溝通到介紹產品，再到簽訂合約，拒絕就貫穿在銷售的每一個環節。而銷售的目的就是化拒絕為接受，達到成交。所以，業務員面對客戶的拒絕時，要始終銘記「不經歷風雨怎麼見彩虹」的堅定理念，根據客戶提出的拒絕理由，化拒絕為動力來採取相應的措施進行突破，最終要使客戶認同自己的產品，達到成交的目的。

事實上有藉口，總比直接拒絕更有促成交易的可能。只要業務員看準對象，巧妙地加以引導，就能有效地堵住客戶的藉口。正所謂盛情難卻，當你用無比激昂的熱情和真心去感染客戶的時候，客戶也會被你打動的。

銷售實戰技巧▼

一位女士到鞋店去買皮靴，店員小敏給她介紹了好幾個款式，結果那位女士不是覺得款式太舊，就是嫌品質不好，要麼就是覺得顏色不合適。

小敏忙了半天，也沒有為客戶找到一雙合適的鞋子。但是小敏卻沒有抱怨，而是很真誠地向女士道歉說：「小姐，真是不好意思，浪費了您這麼長的時間，也沒有為您找到一雙合適的皮靴，真是抱歉。」

聽到這樣的話，那位女士反而覺得過意不去，對小敏說：「沒關係，我再轉轉，或許可以找到一雙合適的。」其實這位女士是看好一雙鞋子的，只是覺得價格太貴，不好意思說，才一直猶豫。於是女士又轉到那雙鞋子的前面，拿起來端詳。

小敏立即過去對她說：「這款皮靴是今年上市的新貨，屬於休閒類的。穿起來很時尚，喜歡的話您可以試一下。」

女士又開始猶豫了，她說：「不用了，我先看一下，不過相對來說，這雙鞋子我還是比較喜歡的。」

小敏說：「沒關係，您試一下吧，不合適可以再找別的，而且這款鞋子只剩下幾雙，我們可以以八折的優惠價賣給您。」

這時那位女士終於決定試一試，結果試過以後感覺很好，只是還是覺得價格有點貴，就努力地挑鞋子的毛病，最後她發現一隻鞋子的內側的皮子介面處有瑕疵。而小敏則解釋說這是一種製作工藝，而不屬於品質問題。

於是小敏就對女士說：「小姐，我知道您也是真心喜歡這雙鞋子，雖然您認為這一塊有瑕疵，但也絕對不屬於品質問題。我們的鞋子品質是絕對可以保證的，在價格上這已經是最低價了。買到一雙自己喜歡的鞋子不容易，您看這樣吧，這個號碼的鞋子只剩這一雙了。這塊瑕疵也絕對不會影響美觀，原價三百九十五元，打過折以後是三百一十六元，我現在去找經理說一下，看能不能把零頭去掉，以三百元的價格賣給您，您看怎麼樣？」

女士點點頭。小敏說：「那您先稍等片刻，我去找經理說說，但是我不能保證一定可以說服經理降價，我只能盡力而為。」

不一會兒，小敏高興地回來了。她向女士做了一個「OK」的手勢，說：「成功了，呵呵，您終於如願以償地買到了喜歡的鞋子。」

這時那位女士被小敏的真誠所感動，對小敏連連道謝，並保證下次還來小敏這裡買鞋子。

小敏以不厭其煩的敬業精神對客戶真誠的服務最終感動了客戶，也贏得了客戶的心和信賴，使之成為她長久的客戶。其實，面對客戶的諸多藉口，業務員不要認為是對自己的否定，是對產品的拒絕。而應該聽出客戶的話外之意，仔細考慮客戶是不是就真的不需要。如果需要，如何才能夠讓客戶接受。

對於那些拿不定主意的客戶，業務員首先要學會和他們溝通，從談話中瞭解客戶的性格，找到客戶猶豫的根源，堵住客戶的藉口，讓客戶滿意地接受。

業務銷售祕訣▼

面對想要購買卻藉口頻頻的客戶，業務員要善於抓住時機。客戶之所以會找各種藉口推諉，很多是對產品的品質、性能或者價格等方面有不滿意的地方，而自己又不好意思說，因此才會不斷地找藉口，希望業務員作出讓步。因此，在任何時候，業務員都應該用最大的誠意去打動客戶，這時你可以在許多方面做出讓步，往往成交就在這一刻喔。

策略8

適當製造壓力，給客戶一些緊迫感

適時地威脅客戶，這樣你才能使客戶下決心簽下訂單。

大多數的人都不喜歡被人脅迫的感覺。因為威脅的背後是巨大的壓力。但在銷售中，銷售的特點決定了業務員在工作中要遇到形形色色的人物。可能有的客戶溫順，有的固執，有的開朗，有的怪異。遇到容易說服的客戶，是業務員的福氣；但是遇到難纏的客戶，也不要氣餒，這更是鍛鍊我們銷售技巧的絕佳機會！不要因為客戶難纏就膽怯退縮，這解決不了任何問題，這反而會讓情況變得更糟。面對這種客戶，你就要學會適時地「威脅」他們，這樣你才能使客戶下決心簽下訂單。

如果在一個辦公室的牆上貼著「不准進入」的紙條，也許會有更多的人想進到房間裡看看究竟。同樣的，在推銷活動中，如果業務員適時地告訴客戶「我不賣」，那麼客戶購買的欲望也許會更大。

碰到態度惡劣的客戶時，業務員有時可以試著態度強硬一些。因為客戶有挑選的理由，而作為業務員，也應該有選擇的權利。業務員應該學會說「不」，推銷產品是我們的工作，這份工作也是需要一定的尊重和理解的。

銷售實戰技巧▼

業務員小蕭自從做業務以來，銷售業績一直很好，甚至在很多時候，別人賣不出的產品她都能很順利地推銷出去。在被問到為什麼能這麼容易地完成業務時，她說了這樣一段話：

「事情其實說起來也沒有那麼難，在推銷過程中，合作的雙方地位應該是平等的。很多業務員都把自己的地位降得很低，面對客戶就是服從、服從、再服從，他們從來都沒有想過，單純地讓客戶買你的東西，大多數客戶就會產生抗拒心理，這樣的推銷方式肯定不行。你只有站在平等的基礎上，給客戶一個合理的價格時，適時地傳達出『超過這個價格範圍我就不賣』的意思，那麼客戶的抗拒心理就會減低，對於產品，他們可能就會欣然接受。」

從這位業務員的話裡我們不難看出，適當地向客戶傳達「我不賣」的資訊是很重要的。當大多數的業務員普遍說「是」的時候，由於你給客戶留下這種特異的印象，你被選擇的可能性也許會更大。

在銷售中，這樣的「威脅」只是業務員在對客戶的需求經過認真分析的基礎上，透過善意的提醒，增強客戶的購買欲望，縮短客戶考慮時間的一種策略。因此在與客戶進行溝通時，業務員必須保證自己的暗示是客觀的、實際的，絕不可以用謊言來欺騙客戶。業務員要對客戶尊重和關心，也要有技巧地進行說服，使客戶堅定購買產品或服務的決心。

業務銷售祕訣▼

業務員在與客戶進行溝通的時候，可能會面臨很多異議。在客戶不能主動購買時，業務員要儘量說服。若客戶還是不能下定決心，業務員不妨改變策略，適當給客戶施加點壓力。比如現在很多商場都會開展的「限時促銷活動」，這種活動除了能夠增加一定的熱烈銷售氛圍外，還向客戶傳遞一種「如果超出限期就不能享受優惠」的資訊。雖然消費者對商家的這種意圖是心知肚明，但仍然會選在促銷活動期間瘋狂購物。

積極營造讓客戶無法抗拒的強大氣場

業務員在客戶面前，一定要將自己最強勢的一面表現出來。

我們常常會說，將軍有將軍的風範，土匪有土匪的痞氣。不同的人，其特殊的身分和特質，決定了其外在的氣勢和影響。在現實生活中，有不少人也給人這樣的感覺，雖然他不說話，單單是站在那裡，就可以讓人覺得有一種特殊的氣質，使人不禁對其肅然起敬，表示信服和依賴，或者感到一種威嚴的氣場，不由得順從和臣服於他。這其實就是一種無形的影響力，是一個人的品格以及意志等內涵的外在展現，並外化成一種氣場和力量，對別人產生一定的吸引或者威嚴。一個人如果能夠提高自己的這種隱形的氣場，就可以更深刻地影響到別人，使這種氣場變成感化別人的力量。

銷售實戰技巧▼

有位心理學家做了這樣一個實驗：他讓一名軍人裝扮成一個乞丐，而讓一個乞丐裝扮成一名軍人，兩個人交換角色，一個去沿街乞討，一個去管理士兵。結果軍人裝扮成乞丐以後，還是那樣挺拔堅定，說話低沉鎮定，當他對路人說：「請施捨我點東西吧！」很多人都為之一震，渾厚的聲音之中傳達出一種不可抗拒的力量，人們不自覺地掏出錢來給他。而乞丐裝扮成的軍人，卻是一副猥瑣的姿態，在士兵面前低聲下氣，他在命令士兵列隊的時候，居然是低聲地說：「我求求你們都站好吧！」結果士兵們一起喊「是，長官」，竟把他嚇得躲到牆角了。

這就是氣場的影響，它可以傳遞給別人這樣的資訊：你是自信還是卑謙，是胸有成竹還是沒有自信，是不可輕視還是可以隨意應付。當你在氣場上處於劣勢的時候，不僅不能影響到別人，還可能被對方控制。因此，業務員在客戶面前，一定要將自己最強勢的一面表現出來，要充滿自信、要堅定果斷、要謹慎認真，不能唯唯諾諾、拖拖拉拉，更不能馬虎大意、隨波逐流。在處事立場上，如果你沒有堅定的意志，沒有果斷的精神，那麼主動權就會控制在對方手裡，使你受制於人。

因此，業務員如果能將決策時的獨立性和果斷性與執行時的堅定性完美地結合在一起，一種無形的影響力就會產生。你的自信與堅定，你的鎮靜與果斷，足以讓人對你信服，對你有所依賴，並在你逼人的氣場之下輕易向你妥協。

業務銷售祕訣▼

在處事立場上，如果你沒有堅定的意志，沒有果斷的精神，那麼主動權就會控制在對方手裡，使你受制於人。作為業務員，就要學會引著客戶的思路走，這樣才能引導客戶順利地簽單。因為人都有一種特性，就是容易受到別人的影響，而這種影響就會導致你不知不覺地接受別人的意見，進而作出相應的決定。

Chapter6 ▶

把握心理戰術——你應當知道的8個心理學效應

業務是一門藝術，一門講究人情練達的藝術，一門和客戶「鬥智鬥勇」的藝術。學會心理戰術，把握客戶購買心理是達成自己銷售目的的關鍵步驟。利用人類的天性以及對人性敏銳的覺察做生意，將無往而不利。

▶效應1

焦點效應：把客戶的姓名放在心中

人類最關心的是自己，所以連帶非常關心自己的姓名。

試想，當你拿起一張包括你在內的團體照片時，你先看誰呢？毫無疑問，一定先看自己。當聯考放榜時，你先找誰的姓名呢？不用說，當然先找自己的大名。每當我們到風景區遊覽時，經常會發現有人在石頭或樹木上刻名留念。為什麼他們會有這種幼稚的舉動呢？因為他們希望別人知道他們，他們希望「永遠活在別人的心中」。

由於人類最關心的是自己，所以連帶非常關心自己的姓名。假如你能夠尊重並牢記別人的姓名，就表示你在乎他，這非但能建立良好的人際關係，而且對銷售業務的拓展也大有幫助。原本對鋼鐵一竅不通的安德魯．卡內基，如何成為舉世聞名的鋼鐵大王呢？他成功的祕訣之一就是：極為尊重別人的姓名。

銷售實戰技巧▼

十歲時，卡內基無意間得到一隻母兔子，不久，母兔就生下一窩小兔子。可是，他的零用錢有限，確實沒有足夠的錢買食物來養這一窩小兔子。於是，他想出了一個點子，他告訴鄰居的小朋友，只要他們肯拿食物來，他將用小朋友的名字為小兔子命名。小朋友聽了，立刻踴躍提供食物。這件事給卡內基極深刻的啟示：人們非常在乎自己的姓名。

卡內基長大成人後，有一次為了競標太平洋鐵路公司的車箱合約，與競爭者布林門的鐵路公司針鋒相對。雙方為了中標，不斷削價火拚，讓彼此無利可圖。不久，卡內基與布林門都到紐約去見太平洋鐵路公司的董事長，他們在飯店門口巧遇了。

卡內基對布林門說：「我們這不都是在作賤自己嗎？」

布林門說：「你指的是什麼呢？」

卡內基向布林門陳述惡性競爭的危害，並提議化解前嫌，彼此攜手合作。

布林門認為有點道理，可是仍舊無法全部接受。

布林門突然問道：「假如我們合作的話，新公司要取什麼名稱好呢？」

卡內基想產生童年養兔的往事，他毅然回答：「當然要取『布林門車箱公司』啦！」

布林門聽了，頓時雙眼發亮，兩人很快就達成了合作協議。

又有一次，卡內基在美國賓州匹茲堡建了一家鋼鐵廠，專門生產鐵軌。當時，美國賓夕法尼亞鐵路公司是鐵軌的大客戶，該鐵路公司的董事長叫湯姆生。卡內基又想起兔子的故事，於是，他就把新建的鋼鐵廠命名為「湯姆生鋼鐵廠」。

卡內基這套「尊重別人姓名」的本事，使他無往不利，生意興隆，最後建立產生他的鋼鐵王國。

瞭解「尊重別人姓名」的重要與價值之後，我們就得進一步設法牢記別人的姓名。我們常聽許多人說：「我就是記性很差，老是記不住別人的姓名。」或是說：「我的記憶力不好，因此人跟名字就是對不起來。」記別人的姓名很困難嗎？雪佛蘭通用汽車分公司的總經理巴布．蘭德能記六千個人的姓名；美國前郵務部長吉姆能牢記五萬個人的姓名！

對一般人而言，記幾十個、幾百個姓名不難；可是，能記數千個、數萬個人名就非比尋常了，那將是成功之鑰了。要牢記人名，可參考下面三個方法：

❶用心仔細聽

把記別人姓名當成重要事情去做。每當認識新朋友時，一方面要用心注意聽，一方面要牢記住。若聽不清對方的大名，請立刻再問一次。切記！每一個人對自己的名字，比全世界的所有人名合起來還關心。

❷利用筆記，幫助記憶

別信任自己的記憶力，在取得對方名片之後，必須把他的特徵、嗜好、專長、生日等寫在名片背後，以幫助記憶。當然，若能配合照片另制資料卡，就更理想了。

❸重複一個人的姓名，能夠幫助記憶

因此，在初次談話中，應故意多叫幾次對方的大名。如果對方的姓名很少見或很奇特，不妨請教其寫法與姓名的來歷。

業務銷售祕訣▼

名字是人的代號，雖然是代號，卻最直白地把人和人做了區別。記住別人的名字，尤其是沒有打過幾次交道的人的名字，會使你的銷售工作有意想不到的收穫。因為準確記住客戶的名字，才能贏得客戶的好感，才能為接下來的銷售工作營造良好的談話氛圍。

▶效應2

情感效應：用心拓展你的客戶群

感情投資有很多種，但是最重要的就是「投其所好」。

成功的行銷離不開在推銷過程中對客戶感情的投資。感情投資有很多種，但是最重要的就是「投其所好」，要先對客戶的愛好有所瞭解，這樣相處起來就會變得融洽許多，也會相應地縮短商家與業務員的距離，有時還會使矛盾的雙方轉變成朋友關係，這樣做起生意來就會順暢許多。

銷售實戰技巧▼

韋普先生是菲德爾費電力公司的業務員，有一次，他看見一戶農舍的房子比較寬大、整潔，於是就上前敲門。當女主人布拉德老太太拉開門時，韋普先生自動報了來意，但大門「砰」的一下關上了。韋普先生再三敲門，此時女主人布拉德老太太回應的卻是一連串的破口大罵。

韋普先生透過一些途徑瞭解到布拉德老太太養的小雞比較好，於是就改變策略。當他再次來到布拉德老太太的門前時，他溫和地對女主人說道：「布拉德老太太，您好，真是不好意思打擾到您，其實我今天並不是專程為推銷電力而來，只是聽大家說您養的小雞比較好，而且雞蛋也很好，於是就想買一點。」

布拉德老太太此時把門拉開了一點，盯著韋普先生。於是韋普先生繼續講道：「聽說您家養的雞都特別漂亮，我家不僅養不出來，就連見都沒見過。今天正巧我太太想做一些蛋糕，您也知道做蛋糕使用黃褐色的雞蛋要比使用白色的雞蛋好得多，所以特來冒昧地向您求助。」

布拉德老太太聽完韋普先生的這段話，臉上立刻露出了笑容，打開門請韋普先生進到院子內。韋普先生看見院內的設施，便說：「夫人，我相信您養雞賺的錢一定不比您先生賺得少吧！」布拉德老太太聽見這話就更開心了，因為長期以來養雞都沒有得到丈夫的認可，難得今天遇到「知音」，於是便主動邀請他參觀自己的雞舍，介紹自己的養雞經驗，談話之間自然就聊到了用電對養雞的好處。

於是兩人越聊越投機，半個月之後，韋普先生所在的公司收到了布拉德老太太郵寄過來的用電申請書。此後，布拉德老太太周圍的鄰居也一一向電力公司提出了用電申請。

從這個例子我們可以看出，業務員和客戶之間的關係並不是對立的，也不是此消彼長的，而應該是互利的。所以在談生意的時候，業務員要學會像老朋友那樣來對待客戶。要親切友好，不要斤斤計較，為長遠的發展著想，使彼此之間的交往更加融洽。

在很多業務員的觀念裡，與客戶談生意就是為了賺錢，雙方可以為了一點點利益而拚得你死我活。而實際上，相互爭鬥不僅會傷了和氣，還會導致兩敗俱傷。而友好的談判則會讓雙方在和諧的氣氛中構建良好的合作關係。生意需要雙方坐下來真誠地談判，只有在和諧的氛圍中，才會取得最好的結果。在談判中，業務員要對客戶表示理解和尊重，消除客戶的抗拒情緒，使彼此的情感升級，從陌生人變成朋友，這樣才能順利地進行交易。

在推銷學中有一種推銷策略叫做「情感行銷」，就是把客戶不同的情感需要作為推銷活動的出發點，根據其情感需要制定推銷方式。情感推銷注重的是業務員和客戶之間的情感互動，可以透過各種形式來實現這種互動，比如舉辦聯誼會、餐敘等。業務員與客戶之間的互動交流，可以增進雙方之間的瞭解，業務員透過溝通瞭解到客戶的情感需要以便給予滿足，讓客戶對業務員產生信賴，然後推銷就可以順利地進行，有時候甚至不需要過多的周折就可以完成交易。

業務銷售祕訣▼

在銷售過程中，很多業務員為了獲得更多的利益，總是不惜損害客戶的利益。他們或者讓客戶購買一些品質差且價格高的產品，或者是將商品售出後就算結束，客戶使用後出現問題也不負責。其實，表面上看這樣或許獲得了不少收益，但從長遠角度看對業務員的發展無疑是不利的。所以，業務員一定要站在客戶的立場考慮問題，確實做到為客戶的利益著想，這樣你得到的將是無數長期合作的忠實客戶。

互惠效應：先付出一點讓客戶產生虧欠感

你要想獲得什麼樣的回報，往往不在於別人想要給你什麼，而是你曾經給了別人什麼。

什麼是互惠效應？簡單來說就像幼稚園的小朋友，你給了我一顆糖果，我給你一張卡片一樣。即使你不付出一張卡片，還可以用其他的方式補償。如果你什麼都不付出，你的內心將有一種愧疚感。

根據心理學的研究，人們對別人的幫助或者贈予很難做到置之不理，就算我們不願意或者力不從心，那也不願意背負有愧於對方的心理負擔。

現實生活中，很多人對免費的商品或者免費的服務往往總是心存警戒，無法心安理得、踏踏實實地接受，反而生怕其中有什麼「陰謀」，反而讓自己遭受額外的損失。這樣的擔心是不無道理的。這其實就是因為在人們心中，有一種互惠的力量在「作祟」。因為對方給了你好處，在你的內心深處你感覺也應該以相應的好處回報對方。如果不這麼做，內心就會感到不安。

中國人特別講究「來而不往非禮也」，當別人給了我們某些好處，或者作出了某些退讓，我們就會本能地想到以另一種好處來報答別人，或者也作出一些退讓，這才會感覺到心安。就是在這樣的心理作用下，很少人能夠無動於衷。這就是互惠原則的巨大影響。對於業務員而言，你要想獲得什麼樣的回報，往往不在於別人想要給你什麼，而是你曾經給了別人什麼。當你實實在在地為別人做了一些事情，給他帶去了一些好處，別人就會想辦法來報答你為他所做的一切。

銷售實戰技巧▼

一天，馬先生接到一個電話。對方是一位年輕男士，自稱是居民防火安全協會的服務人員，詢問馬先生是否願意瞭解一些家庭防火安全方面的知識，是否願意讓人到他家裡檢查一下有沒有什麼安全隱憂，而且還可以免費得到一個家用滅火器，並聲稱這一切服務都是免費的。

馬先生對此很感興趣，於是欣然同意對方到自己家裡來一趟，於是約好了時間。

到了那一天，那位年輕男士果然來了，並對馬先生家裡可能引起火災的地方做了仔細的檢查，還免費送給了馬先生一個掌上型便捷滅火器。檢查完畢之後，他還給馬先生的全家講了一些關於火災的常識，並對馬先生家裡發生火災的可能性做了一個評估。這位年輕男士所做的一切都讓馬先生全家感到十分滿意和感激，覺得自己確實從中獲益不少。

此時，時機終於成熟，那位年輕男士根據馬先生家發生火災的可能性，建議他購買一套家庭火災警報系統。全家人對此很感興趣，於是就問從哪裡可以買到。這時年輕男士便說如果真的需要，自己可以幫忙。最後馬先生當然是購買了一套火災警報系統，並且覺得年輕男士給了自己莫大的幫助。

這就是互惠心理在起作用。俗話說：「吃人家的嘴軟，拿人家的手短。」朋友這次請你吃了飯，下次你就應該找機會請對方一次，否則心裡總會覺得不安；別人在你生日的時候送你禮物，你也會找機會回送對方一份；甚至兩個不相識的人，人家對你點頭微笑，你也會微笑以對。在人們的心中大家都認為：接受了別人的恩惠、饋贈、邀請等，就有責任回報對方，而且這也是「理所應當」的事。

因此，在互惠互利原則的影響下，從別人那裡得到好處的人，就有償還對方的責任。不償還，就會產生歉咎感，這使其不得不被一種力量左右。透過首先給對方「好處」的方式，用一種無形的力量拴住對方的心，進而擴大自身的影響力。銷售，其實就是業務員與客戶之間打的一場心理戰，如何在這場戰爭中取勝，不僅要鬥智鬥勇，還要善於從心理上佔據優勢，讓對方心悅誠服。

業務銷售祕訣▼

業務員幫對方一個小忙，給對方一些讚美等，當對方受到了你的恩惠，也就會給你一定的回報。這對促成銷售會產生意想不到的效果。法國人類學家Marcel Mauss說過：「給予是一種責任，接受是一種責任，償還也是一種責任。」當有人給予你幫助的時候，你肯定會感覺有愧於他，總想找個機會償還。這就是人類普遍的心理共識。

▶效應4

權威效應：客戶往往喜歡跟著「行家」走

人們對權威的深信不疑和無條件遵從，會使權威形成一種強大的影響力。

權威效應，又稱為權威暗示效應，是指一個人要是地位高，有威信，受人敬重，他所說的話及所做的事容易引起別人重視，並相信其正確性，即「人微言輕，人貴言重」。

美國曾有一個心理學教師找一個班級做「權威效應」的心理實驗，他請該班的教師向學生引見說：這位教授是國際上知名的化學家，最近他研究出一種新的化學品，今天專程為同學展示一下這項新的研究成果。

於是，「國際上知名的化學家」拿出一個瓶子裡面裝著透明的液體，然後告訴同學們，現在他展示的化學藥品是一種新藥，其味道可以在空中迅速傳播，而只有對化學藥品有敏銳感知的人才能感受到。然後，「國際上知名的化學家」打開瓶子，同學們屏息，用心體驗「只有對化學藥品有敏銳感知的人」才能得到的感受。接著，大家開始談自己的感覺。有的說，這是一種與過去所有的化學藥品味道完全不同的東西；有的說，教授打開瓶子後，立即就會感受到一種由前至後撲鼻而來的清香，「味道好極了」等等。待全班討論得差不多了，「國際上知名的化學家」告訴同學們，他不是什麼化學家，而是本校的一位普通的心理學教師，瓶子裡裝的不過是剛剛從學校自來水管裡流出的自來水而已。接著，他表示他的心理學實驗圓滿完成，「謝謝大家的真誠合作」！

這樣的實驗結果是令人驚訝的，為何明明無任何氣味的自來水，學生卻可以聞出味道來呢？這是因為人們對權威的信任和遵從，使其對「權威」的化學家沒有表示任何懷疑。人們對權威的深信不疑和無條件遵從，會使權威形成一種強大的影響力，利用這種權威效應可以影響和改變人們的行為。在現實生活中，「權威效應」的應用很是廣泛，如許多商家在做廣告時，往往以高價聘請知名人物做形象代言人，或者以有影響力的機構來認證自己的產品，以達到增加銷售量的目的。

銷售實戰技巧▼

小張是某醫療設備的業務員。一次，在他拜訪一個客戶的時候，對方是一個心思極為縝密的人。

在交談過程中，小張發現客戶對自己的產品品質還是有很大的疑慮。於是，小張又給客戶提供了一份產品的市場調查報告，使他瞭解自己產品的真實銷售情況。對於這一點，小張很是自信，因為本公司的產品銷量確實很好，在市場上也有一定的名氣，對客戶也很有說服力。此外，為了讓客戶安心，小張還把產品的認證證書和多位權威專家的推薦拿給了客戶，使對方終於消除了疑慮，放心地購買了他的產品。

在權威效應的影響下，生活中的很多人喜歡購買各種知名品牌產品。因為它們有明星的代言，有權威機構的認證，有社會的廣泛認同，這樣就可以給人們帶來很大的安全感。權威代表著社會的認同，代表著絕大多數人的意見。這樣，在其強大的影響力下，人們會變得很順從，而對權威不敢發起挑戰。

因此，業務員在銷售過程中如果能夠巧妙地應用權威的引導力，賣產品就更方便了。當然，業務員也要正確合理地運用這種優勢，而不能貪圖眼前的利益弄虛作假欺騙客戶，這樣必然會帶來嚴重的後果。

業務銷售祕訣▼

人們都有一種「安全心理」，即人們總認為權威人物的思想、行為和語言往往是正確的，服從他們會使自己有安全感。同時，人們還有一種「認可心理」，即人們總認為權威人士的要求往往和社會要求相一致，按照權威人物的要求去做，會得到各方面的認可。

▶效應5

稀缺效應：短缺會造成商品的價值升值

因為短缺，其價值就會越發地凸顯出來，變得貴重。

我們常常會說這樣一句話：「擁有的時候不懂得珍惜，失去後才發現它的珍貴。」不管是對自己喜歡的東西，還是對自己來說重要的人物，這樣的感覺恐怕很多人都會有。

而且還有一種狀況，可能一件原本對自己沒有什麼吸引力的東西，當有一天你將要失去它，或者你已經意識到自己很可能得不到它時，這件東西就會在突然之間變得很有誘惑力。是什麼魔力讓人們有如此巨大的轉變呢？是因為短缺，當我們能夠獲得某種東西的機會越來越少時，其價值就會越發地凸顯出來，變得貴重。這種「機會越少，價值越高」的短缺原理，往往會對我們的行為產生很大的影響，而且這種影響是全面的、深刻的。

我們知道，在現實生活中，很多人喜歡收藏一些古董，而那些古董之所以價值連城，主要原因就是它們稀少、罕見，不容易獲得。如果類似的古董到處都是，那麼它們也就不值錢了。因此，通常來說，當一樣東西開始變得越來越稀少時，它就會變得更有價值。這就是我們平常所說的「物以稀為貴」的現象。甚至一些原本不完美的、一文不值的東西，也會因為稀少或者獨一無二而變成重金難求的珍品，例如，印刷模糊的郵票、打磨失敗的美玉、兩次衝壓的硬幣、有殘缺的瓷器等。因為稀少，因為有瑕疵，反而比那些沒有瑕疵的物品更有價值，更受到人們的青睞。

這說明，短缺因素對物品的價值會產生很大的影響作用。而利用這一原理，我們則能夠達到給人施加壓力，使之順從的目的。在生活中，人們常常會使用「數量有限」的策略，當業務員告訴客戶某種商品供應比較緊張，不能保證一直有貨的時候，就會促使客戶及早地採取行動。

銷售實戰技巧▼

燦鑫是某百貨公司一名非常出色的店員，他在向客戶推銷商品的時候，總是能夠巧妙地運用短缺原理來促使客戶儘快作出決定。即使面對的客戶不同，推銷的商品各異，他也總能取得不錯的業績。

他總是和客戶這樣說：「先生，這種引擎的敞篷車在本地不超過十輛，而且廠裡面已經不再生產了，錯過了這次機會，以後想買，恐怕也買不到了。」「這種廚具就剩最後兩套了，而另一套您是不會選擇的，因為它的顏色不適合您，所以這套廚具非您莫屬。」「您也許應該考慮一下多買一些，最近這種商品十分暢銷，工廠裡已經積壓了一大堆訂單，我不敢保證您下次再來的時候還有貨……」

這樣的説辭無疑是十分有效的，客戶在其影響下，為了使自己不因買不到而後悔，總是會果斷地作出選擇。先將自己喜歡的商品占為己有，這樣才能夠安心。這就是燦鑫的成功之處。

數量有限的資訊確實會對消費者的購買決策產生有效的影響。因此，如果業務員能夠將這種策略合理地應用到商品的銷售過程中，則會有效地促進銷售。當業務員發現客戶對某種商品感興趣的時候，如果能對其進行巧妙的引導，在説明商品品質可靠、價格實惠的同時，不妨再加上這樣一個善意的提醒：「這款商品剛剛賣出一套，這恐怕是我們這裡最後一套了，如果錯過，就需要等到一個星期以後再來了。」客戶聽到這樣的話，往往會在害怕買不到的心理作用下迅速地作出決定，先買回家再說，不能讓別人搶先。因為擁有它的機會變少了，而其對客戶的重要性也就大大提高了。

業務銷售祕訣▼

稀缺產生價值，這也是黃金與普通金屬價格有著天壤之別的原因所在。當一樣東西非常稀少或開始變得稀少的時候，它就會變得更有價值。從心理學的角度看，這反映了人們的一種深層的心理，因為稀缺所以才更害怕失去。經心理學家研究發現，在人們的心目中，害怕失去某種東西的想法對人們的激勵作用通常比希望得到同等價值的東西的想法作用更大。這也是稀缺效應能夠發揮作用的原因所在。

▶效應6

折中效應：拒絕貪婪，細水才會長流

把目光放長遠，別為了眼前的一點利益而丟失了將來還可能存在的合作機會。

在銷售過程當中，由於買賣雙方大多只會關心自己的利益，都想得到對方的利益。這其中不乏有人鼠目寸光，只看重眼前的利益而忽視了長遠的發展；而有的人則目光長遠，更看重長遠的利益，即使暫時失去眼前的利益，也不會太在意。業務員，尤其是銷售新人，在談判中，一定要把目光放長遠，別為了眼前的一點利益而丟失了將來還可能存在的合作機會。

銷售實戰技巧▼

華先生與一食品出口公司談判大蒜生意。在第一輪商談中，食品公司報價每噸二千三百元港幣，而華先生只肯出二千一百元港幣。顯然，雙方在價格的原則立場上是有差距的。三日後，雙方再次坐到談判桌前。由於大蒜收穫期就要開始，如不馬上處理，錯過收購時期，不但數量保不住，而且收購價格還要跌漲。食品公司權衡了利弊後，願以二千一百五十元成交。可是華先生又發出了一手「怪招」，他說：「我祖籍是山東。我們交個朋友吧。說心裡話，這批蒜頭賣二千一百五十元一噸，貴公司有點虧，我心裡也不愉快。做生意嘛，講個來日方長，這樣吧，每噸我多加十元。」這一「怪招」，真出乎人的意料之外。等合約正式簽字生效後，食品公司問他，本已談妥價格，為何又加價呢？他說：「雖然每噸的價格增加了一些成本，但我們雙方日後還要長期往來。如果有求於你們，我想你是樂意盡力協助的。有些同行斤斤計較，這樣會使對方產生反感，也會對你設置重重關卡，雖然生意做成了但並不愉快。表面看是贏家，那樣因小失大實際上是輸家。」見解果然獨到！

一個成功的談判戰略，往往是透過對某種舊的傳統觀念的剷除而建立的。以上事例說明：在貿易談判中，談判者不但要有嫻熟的議價技巧，還要有綜觀全局、不計一城一池之得失的戰略眼光才行。

事實上，一個銷售高手通常會在第一次與客戶簽單時，就為第二次或第三次的合作埋下「伏筆」，這叫提前預留感情資本。即使雙方合作沒有成功，也要及時地感謝對方，這樣才會使雙方的感情不斷加深，也為雙方以後的合作打下良好的基礎。

做好以下幾點，你的銷售之路也會越來越寬了：

(1) 把客戶當成親人。要與客戶形成親人之間特有的親密感。正是這種親人之間的毫無保留的信任，才能使客戶對你產生放心的態度。一旦商家在業務之外有什麼需要客戶幫助的，客戶也會積極地給予幫助。即使客戶對產品有什麼不太滿意之處，也會給予商家相應的理解。

(2) 把客戶當成友人。真正的友情不會因為利益而衝突，友情讓生意更穩定、更持久，這適用於貿易、銷售等行業。正是因為這些行業涉及的都是一些大型專案，面對的客戶也是比較固定的群體，所以一定要保持好企業的形象，與客戶建立起長期穩定的關係。

(3)把客戶當成情人。當你把客戶當成情人時，自然就會想著把他哄高興，更重要的是會對他百般呵護。想客戶所想，做客戶沒想到的，這樣才能使客戶感受到精心的服務和無微不至的關懷。

(4)把每個客戶當成貴賓。任何企業要想做大，單憑自己的實力是絕對不能完成的，所以就需要別人從中協助。

(5)把客戶當成合夥人。推薦行銷是目前流行的一種新的行銷理念，即讓自己的客戶為自己做宣傳，進而帶來更多的客戶。作為業務員尤其有必要善待你的每一個客戶，把他們當成你的合夥人，因為你們的目的是共同的——「雙贏」。

業務銷售祕訣▼

賣東西、做生意，都是為了獲利，在談判中失點利，但最終目的還是獲利，只不過是不想因小失大。因此，業務員在談判時一定要把目光放長遠，別因蠅頭小利而喪失長期大利。

人性效應：比商品更重要的是人性

客戶想要的不僅僅是產品，還需要是一個為客戶謀利、幫客戶選購產品的人。

每天都有各行業的業務員被這些問題所困擾：為什麼客戶就是不買？為什麼這麼好的產品經銷商就是不願意賣？為什麼有這麼多的拒絕？其實這個問題很好解釋，那就是因為客戶想要的不僅僅是產品。業務員不應僅僅推銷產品，還必須是一個為客戶謀利、幫客戶選購產品的人。

銷售實戰技巧▼

亞洲首富李嘉誠就是從做推銷起步的。有一次他到一個商店推銷鐵桶，但該店老闆一直沒有答應。李嘉誠嘗試了各種辦法都沒有任何的效果。後來，一個偶然的機會，他得知這位老闆老年得子，對孩子十分寵愛。

這孩子十分喜歡看賽馬，但是老闆一直都沒有時間陪他一起去看。李嘉誠知道這個消息之後，立即去找對方商量，他自己出錢帶孩子去看賽馬，此舉無疑讓老闆十分感動，不久即在李嘉誠那裡採購了大量的鐵桶。

從以上的例子中我們可以看出，成功的業務員都是善於從「我要怎樣賣出去」的角度思考，先瞭解「客戶為什麼購買」，然後才開展銷售工作的。

❶ 位於首位的是你的「態度」

對於業務員而言，銷售業績的好壞大多取決於你的態度，而態度的呈現則來自你的人生觀。事實上，沒有哪個業務員喜歡不停地服務客戶，可是每個客戶都渴望你對他們有所幫助。基於這種心理，業務員只要能主動地為客戶提出良好的服務，合理加強溝通，就能以積極的態度打動客戶。

❷ 打造你的優質「個人品牌」

不是你認識誰，而是誰認識你；只要你建立了自己的個人品牌，客戶就會主動打電話給你。銷售產品之前要先銷售自己這個品牌，客戶認同你才會購買你的產品。

❸ 擴展你的「人脈」關係網

銷售不只是在工作，更是拓展人脈網路。大多數業務員並沒有拓展人脈網路的觀點與做法，他們的理由如下：業務員認為拓展人脈太費時間，因此不願把自己的時間用於人脈拓展；業務員認為人脈拓展並不能帶來更多的利潤；業務員認為「陌生開發」才是達到銷售目標的最好方法；即便想做，卻不知如何著手。

❹ 人格特質的改變

個人品牌就從幽默的魅力展現開始。如果你可以讓客戶愉悅，他們就會認同並購買你的產品，因為幽默是一種強而有力、通行全球的語言。幽默是一種技巧，如同做業務一樣，需要長期的訓練，而幽默又能幫你達到銷售目的，創造更親近的友誼關係。

業務銷售祕訣▼

對於業務員來說，當客戶的反對意見太多時，只是代表一件事情，就是客戶不夠相信你，不夠喜歡你。因為客戶購買的不僅僅是產品，更是業務員的服務態度和精神。因此，業務員在銷售過程中應努力讓客戶得到應有的尊重、關懷和體貼，這些有時候遠遠要比產品品質更能打動客戶。畢竟商品只是一種冰冷的東西，沒有業務員周到服務的溫暖，它的價值也就不過如此。

▶效應8

退讓效應：讓客戶感到內心難安的讓步

在銷售過程中，採取這種退讓形式，比起那種直截了當的方法更能達到預期的效果。

銷售實戰技巧▼

一個十幾歲的小女孩，在街上賣玫瑰花。她攔住了一個年輕的小伙子，說：「大哥哥，買一束玫瑰送給女朋友吧！一束十枝，只賣五十元。」小伙子搖搖頭說自己沒有女朋友，不需要買玫瑰花，說著就要離開。小女孩又攔住他。「大哥哥，這麼英俊。肯定有女孩子喜歡。既然你不想買一束玫瑰花，那就買一枝吧。才五元錢。」小伙子覺得小女孩挺有意思，笑著對她說：「買一枝我也不知道送給誰啊，算了，你賣給別人吧。」這時，小女孩還是沒有甘休。「大哥哥。既然你不想買玫瑰花，要不要買幾塊大巧克力，一元錢一塊，很實惠的喲。」小伙子沒有辦法了，因為小女孩一再退讓，如果自己再拒絕，心裡就會覺得更加不安了。於是他也退讓一步，花兩塊錢買了兩塊巧克力。而買過以後，他才想起自己根本不喜歡吃巧克力。

在這個例子中，小伙子在小女孩的一再退讓下，由原來的拒絕漸漸地變成了接受和順從。為什麼會發生這樣的變化呢？這是因為小女孩的一再退讓給小伙子造成了一定的壓力，對方已經作出了讓步，作為回報，自己也應該有所讓步，而不能拒絕到底。因此，小伙子也作出了讓步，最終購買了兩塊自己並不喜歡吃的巧克力。

這種在交易以及談判中的妥協，是一種非常有效實現順從的技巧。對於業務員而言，如果你想要別人答應你的某種請求，你可以先提一個比較大的、難以做到、對方有可能拒絕的請求，然後在對方拒絕之後，再把你真正的請求提出來。這樣就相當於你向對方作出了讓步，而對方則有義務也對你作出相應的讓步，因此，在互惠心理的影響下，你的請求是很容易被對方接受和應允的。如果沒有之前的退讓而直接提出來，則遭受拒絕的可能性是非常大的。

這種方法在銷售談判中是最常使用的，當你沒有東西饋贈給對方或者你的過分要求沒有得到應允時，主動讓步更容易把東西讓出去。因為，當你作出讓步似乎是在告訴對方：我已經不再堅持我的要求，已經對你作出了讓步，難道你就不能也作些讓步嗎？結果當然是對方也作出一定的犧牲，這樣就容易促成交易了。在相互妥協之中，先主動作出退讓的一方則會佔據一定的優勢，迫使對方退而求其次，答應你的要求。

這種先大後小、先難後易的推銷方式，確實能夠產生意想不到的效果。在現實生活中，這樣的策略也經常被使用，特別是在談判的時候，一方常常會先提出近乎苛刻的要求，然後再逐步退讓，最終迫使對方也作出讓步，進而達成銷售目的。

業務銷售祕訣▼

對於銷售工作而言，一般起點越高，這個過程越有效，因為可以讓步的空間比較大。但是在實際操作中，卻不是這樣的，如果起點要求太極端、太過分，反而會產生相反的效果。因此，如果要使用這些策略，一定要根據實際情況把握好分寸，使其對客戶的影響力達到最佳。

讀懂顧客消費心理——
9個**妙計**拉近與顧客的心理距離

卓越的業務員之所以成功，是因為他們知道如何攻破客戶的心理防線，他們懂得如何牢牢把握客戶購買心理，所以他們成功了！他們可以的，你同樣也行！學習和掌握他們的攻心祕笈，在平時訓練中多加訓練，你一定是下一位金牌業務員！

用人情留住老客戶的心

吸引新客戶的成本至少是維護原有老客戶的五倍。

現實中開發客戶是一項困難的工作，吸引新客戶的成本至少是維護原有老客戶的五倍，因此更凸顯出留住老客戶的必要性。那麼，如何才能留住老客戶呢？

❶ 讓客戶對你滿意

提高客戶滿意度是留住老客戶的前提條件，只有客戶對你的產品和服務甚至你的公司感到滿意，才有留下的可能性。但我們仍然需要注意，要使老客戶滿意並不是一件輕而易舉的事，這同樣需要掌握一定的方法和技巧。

(1) 不要給客戶過高的承諾。客戶滿意是建立在客戶期望之上的。期望值的大小決定了滿意度的高低，而且它們之間是呈反比例關係的，期望值越小則越容易滿意。由此可知，降低期望值是提高滿意度的一個重要途徑。

如何降低客戶的期望值呢？有效的方法就是不要給予客戶過高的承諾，例如，如果你的企業能在接到通知之後十八小時內提供售後維修服務，則可以對客戶承諾二十四小時之內；如果維修人員接到電話後能在二小時內趕到，則可以承諾三小時之內趕到。

透過這個技巧，使客戶的期望稍低於你的企業服務水準，當你所提供的水準超越了他們的期望後，客戶會有一種滿足感。

(2)提供超值服務。超值服務是每個客戶都喜歡的，可以提高客戶的滿足感，許多企業的發展長盛不衰，很大程度上便是得益於此。

戴爾公司不僅僅是電腦供應商，還是客戶在制定科技策略時的顧問。戴爾公司的科技人員要抽出一定的時間與客戶一同討論未來的科技走向。這種討論可以使客戶事先針對科技的變化而規劃出未來產品，戴爾公司所提供的這種超值服務，會使公司與客戶的關係更加鞏固，建立起最穩固的信任、誠實及夥伴關係。

當然，提供超值服務並不是越多越好，因為當你為客戶提供了過多或過高的利益時，很容易讓客戶下次的期望值更高，那時企業的負擔就重了。因此，超值服務的範圍應限於那種對客戶來說是極為有用的或非常新鮮的，但對業務員來說卻是難度不大的服務。

❷ 讓客戶眼裡只有你

一旦客戶對你的產品和服務形成依賴時，客戶眼裡就會只有你了。讓客戶眼裡只有你的有效方法就是：培養客戶的忠誠度。培養老客戶的忠誠，所需的費用遠遠低於開發新客戶所花費的成本。

(1)虛心向客戶請教。要想永遠留住老客戶，就必須以高品質和優質的服務滿足他們的需要。從老客戶回饋的意見中，可以發現客戶對每項產品喜愛的程度以及產品不受歡迎的原因，進而可以幫助你改進服務策略，甚至幫助企業尋求產品改善之方。除此之外，業務員還有必要每個月花一定的時間和老客戶進行溝通交流，以瞭解老客戶的需求。

(2)建立互動關係。忠誠度是透過與老客戶的互動、對話而建立的，因此要建立與老客戶之間的價值的互動關係，就是儘量瞭解客戶。只有知道什麼時候該提供什麼產品，才能讓客戶心甘情願地與你合作。在互動過程中，公司對客戶的反應作出及時的回應。客戶因而可以看到細緻的、個性化的服務，必然提高對公司的滿意度，成為公司的老客戶。

❸ 及時處理老客戶的抱怨

有的業務員不願聽到客戶的抱怨，他們認為，只要客戶不抱怨，那麼他們的產品和服務就是好的，其實這種想法是錯誤的。客戶不抱怨並不代表他們滿意，因為有的客戶認為與其抱怨還不如離開，減少和你公司打交道的次數。尤其是老客戶的抱怨，通常一個老客戶的抱怨，代表著另外沒有向你抱怨的客戶的心聲。提出抱怨的客戶，若問題得到圓滿解決，其忠誠度會比從來沒有抱怨的客戶更高。

(1) 不要簡單地對客戶說「不」。既然客戶對你抱怨，那麼他的心裡肯定會希望你能解決問題。如果你僅僅待之以一個「不」字，可想而知客戶會有什麼樣的反應。有時就算是客戶要求的服務水準太高，你無法達到或來不及安排，或者不願意提供，你也不能對客戶的要求置之不理而不做任何解釋，最好的辦法是如實告訴客戶你的困境。

還有一個方法也可以增加客戶對你的好感，那就是當你沒有能力去為他解決問題時，積極地去幫他尋找解決問題的方法。例如，你可以告訴客戶：「沒問題，雖然我們沒有這項業務，但我知道哪些企業有，這是他們的名稱和電話，如果他們也沒辦法，請打電話給我，我會再幫你想辦法的。」客戶看到你這麼為他著想，心裡肯定會感到受重視，以後再買同類產品肯定就會首先想到你。

(2) 及時處理。既然客戶已經對公司提出拘怨，那就要及時處理。對於他們所提的意見，必須快速反應，最好將問題迅速解決或至少表示出有解決的誠意。拖延時間只會使客戶的抱怨變得越來越強烈，使客戶感到自己沒有受到足夠的重視，使不滿意程度急劇上升。

(3)不與客戶爭辯。對客戶抱怨問題的處理始終要堅持一條原則：不與客戶爭辯。這條原則至關重要。就算是客戶錯了，也不要與之爭辯，心中要始終存有這種觀念：客戶是上帝，他們的一切反應都是正確的。

要想使企業進一步發展，就應該不斷開發新客戶並留住老客戶，與老客戶建立起友好的合作關係。同樣的道理，要想成為一個業績卓著的業務員，就不僅僅是和老客戶做一次生意，而是和老客戶做永久的生意；不僅僅要和老客戶做生意，更要和老客戶建立感情。有了老客戶的支持，才能輕鬆自如地取得非凡的銷售業績，成為一名高效的銷售高手。

業務銷售祕訣▼

老客戶用過你的產品之後，他們就會知道你的產品品質怎麼樣，那麼你再去維繫與他們之間的情感就容易多了，因為產品已經替你做了廣告。而開發新客戶則沒有這種優勢，所以你花在新客戶身上的成本也就會更多。

站在客戶的角度思考問題

站在客戶的立場來思考問題，拉近與客戶之間的距離。

當有人問你，你最關心的人是誰的時候，你會如何回答？自己的父母？自己的伴侶？自己的孩子？或者其他什麼人？其實都不是，你最關心的永遠都是你自己。當我們與人交談的時候，用得最多的一個字往往就是「我」。

當你和別人一起照的照片洗出來之後，人群中你最先看到的肯定是你自己；當你得知自己的宿舍被盜了之後，你最關心的肯定是自己丟了哪些東西……生活中這樣的現象很多，這說明不管你是什麼人，不管你在什麼時候，在內心都是非常關心自己的。人們在處理事情的時候，往往最先想到的都是自身的利益，都會想著要保護自我。關心自己是人們最基本的心理。因為人作為一個生命體在社會上生存，需要滿足自身生存和發展的需要，需要進行自我保護，需要獲得尊重和承認，需要實現自身的價值，得到社會的認可。

對於業務員而言，一切都要站在客戶的立場上，設身處地的為他們想一想，因為客戶有時候不一定知道自己面臨的問題有哪些、應該如何解決。業務員要知道，客戶是我們的衣食父母，所以在服務客戶時，要深入瞭解客戶的想法，試著與其站在同一立場上，這樣才能取得雙贏。站在客戶的立場來思考問題，只有這樣做才有助於瞭解客戶的想法，拉近與客戶之間的距離。在銷售的過程當中，業務員如果能夠將客戶所面臨的問題當做自己的問題來解決，無疑將會增進彼此之間的信任，這樣同客戶之間的關係也將更加穩固，合作才會更加長久。

銷售實戰技巧▼

張先生隨訪問團到了紐約，他在城中的一家玩具店裡看中了兩個玩具，一個是非常漂亮的毛絨米老鼠，一個是男孩子喜歡的汽車模型。於是他詢問起價格，打算買給自己的雙胞胎兒女。

可是店員卻問他：「先生，您來自中國嗎？」

「是的。」張先生疑惑地想，難道國籍和買東西有衝突嗎？

店員誠懇地說：「先生，如果您來自中國，我建議您就不要買這個毛絨米老鼠了！」

「為什麼？」

「因為這是中國生產的。」說完，店員特意給張先生看了看「中國製造」的標識。

店接著說：「您可以買這個新款的芭比娃娃，是剛剛上市的，國外還沒有賣，女孩子都很喜歡的。」

最後，在這位店員的建議下，張先生買了兩個新款的芭比娃娃和一個汽車模型。

可見，成功的銷售需要堅持互惠的原則。在為客戶服務，向客戶推銷產品的同時，銷售員要學會跟客戶站在同一陣線上，瞭解客戶的真正需要，只有雙贏才是持久之道，才能將你與客戶之間的關係拉得更加緊密。

銷售過程當中，為客戶著想最為實用的一點就是能夠為客戶提供增加價值和更加省錢的方法，這樣業務員才能夠受到客戶的歡迎。時時刻刻為客戶著想，站在客戶的立場上看待問題，幫客戶想一下怎麼才能夠省錢，然後自己再從中賺錢。其實這樣想也不矛盾，因為當客戶非常信任你之後，才會繼續和你合作，在多次合作之後，你從中獲得的利潤當然會比「只賣一次」要大得多。

其實業務員與客戶之間的關係不是對立的，也不是此消彼長的，而應該是互利的。所以在談生意的時候，業務員要學會像對待朋友那樣對待你的客戶，要親切友好，不斤斤計較，為長遠的發展著想，使彼此之間的交往更加融洽。俗話說，「精誠所至，金石為開」，只要人們抱定真誠的態度，就沒有辦不成的事情。把這個道理運用到銷售中，讓對方知道你真誠的合作願望，這樣會讓你的客戶在心理上得到極大的滿足感，他會認為與你合作非常放心，因為你的態度很誠摯、自然，這樣就會很容易促成銷售的成功。

業務銷售祕訣▼

作為業務員，多為別人著想，多為別人的利益考慮，不僅有利於你獲得客戶的信任，你還能從與客戶的交談中獲得有用的資訊。而且，真心實意地為客戶的利益考慮，這樣客戶才會信任你，進而購買你的產品。

▶妙計3

學會在聆聽中銷售產品

世界上最偉大的讚美就是問對方在想什麼，然後注意聆聽他的回答。

有人說世界上最偉大的讚美就是問對方在想什麼，然後注意聆聽他的回答。業務員不僅要學會說，更要學會聽。能言善辯是業務員必備的基本技能之一，但是能說往往只是在表達自己，以自我為中心，其實更多的時候，業務員應該學會安靜地聆聽，聽客戶說話，讓客戶多表達自己，這樣的以客戶為中心，讓客戶感受到重視，滿足表達自己的心理需求。同時，業務員還可以從客戶的表達中獲得有用的資訊，幫助自己瞭解客戶的心理，進而實現有效的溝通。

傾聽是一種有效的銷售技巧，也是邁向成功的第一步。善於傾聽是業務員探知客戶內心世界的一把「金鑰匙」，更是獲得客戶信任、拓展人脈的一種有效方法。全球知名學者戴爾・卡內基曾說過：「在生意場上，做一名好聽眾遠比自己誇誇其談要有用得多。如果你對客戶的話感興趣，並且又有急切想聽下去的願望，那麼訂單通常會不請自來。」

每個人都希望得到別人的關注，或者說，每個人都希望自己所講的話別人願意去聽、喜歡去聽。你的客戶尤其如此。邱吉爾曾經說過：「傾聽是銀，沉默是金。」溝通活動中，必要時保持沉默會很有價值，你的沉默不僅會讓客戶認為你受到他所講的話的吸引，而且也會為你自己贏得揣摩客戶心思的時間，這樣對雙方有益的事情，為什麼不多做一些呢？

有時，說得太多太好就是錯。自說自話的業務員，太以自我為中心，而忽略了客戶的心情和想法，不給客戶任何表達的機會。正因為業務員的健談，喧賓奪主，壓住了客戶的光芒，必然引起客戶的反感和厭惡。因此，業務員應該學會聆聽客戶說話，認真地聽有興致地聽，積極迎合地聽，聽懂客戶的話，弄明白客戶的心理，這樣才會找到客戶的真正需要。

據一項權威的調查顯示，在最優秀的業務員中，有高達百分之七十五的人在心理測驗中被定義成內向的人，他們行事低調、為人隨和，能夠以客戶為中心。他們十分願意瞭解客戶的想法和感覺，喜歡坐下來聽客戶的談話，他們對聽話的興趣往往比自我表述更大，而這些正是他們贏得客戶的祕訣。

銷售實戰技巧▼

喬·吉拉德是一位著名的汽車業務員，他的推銷經驗十分豐富。一次，喬·吉拉德推銷一種品牌的汽車，一位當地知名的企業家想購買他的產品。這位企業家學歷不是很高，白手起家但是卻很有生意頭腦。喬·吉拉德像往常一樣接待了這位客人，給他做了最詳細的產品介紹，並推薦了幾款最好的車型。原本以為交易會很順利，但是結果卻令吉拉德失望不已。

當天晚上，吉拉德反覆思考問題出在哪裡，可是總是得不到合理的答案。於是，他撥通了那位客戶的電話：「先生，您今天有滿意的車型嗎？」

「是的，有。」那位先生說。

「但是您為什麼走了呢？」吉拉德問道。

「你開玩笑嗎？現在已經很晚了。」對方有點不耐煩。

「哦，非常抱歉。但是您可以說一下原因嗎？對於一個失敗的業務員來說，這是很有意義的。」

「真的嗎？」

「絕對！」

「好，你在聽嗎？」

「非常專心！」

「但是中午的時候，你並沒有專心。」那個人繼續說道，原來他是打算要買下來的，因為這個車整體來說是符合他的要求的，也沒有什麼別的問題，但是在最後一秒鐘他遲疑了，因為他發現吉拉德對他所講的話並沒有多大的興趣，他講什麼吉拉德根本沒有用心聽。這就是他揚長而去的原因。吉拉德回憶了一下，事實確實如此，當時他的心思全在另一位業務員所講的很有趣的笑話上了。

顯而易見，只有善於傾聽才會贏得客戶的信任，用心地聆聽客戶說話，對業務員實現成功銷售是有很多益處的。對客戶的講話表示出極大的興趣，不僅是對客戶的尊敬，還能夠用你的專注感染客戶，進而對你訴說更多，使彼此的談話由表面的寒暄升級到真心的交流。聆聽時，業務員對客戶的觀點和想法不要急於下結論，要等到客戶說完之後再發表自己的意見。即使你對客戶的觀點表示不贊成，也要盡力控制自己的情緒，不要激動，更不能發怒，而是要努力找出你的產品或服務能帶給客戶更多的好處，以此來說服客戶。

業務員在聽完客戶說話以後，可以不時地用「嗯」、「哦」等回答向客戶表示你在認真聽他說話，也可以適當發問或者對其談話的內容進行重複，這樣做會使你表現得足夠誠懇，客戶內心就會得到滿足，認為自己得到了關注，合作的機會就會變得更大。

很明顯，推銷過程中要多「聽」客戶談他們的理想，談他們的需求以及他們高興或者不高興的事情，在聽的基礎上把這些資訊迅速整合，發掘出客戶沒有表達出來的想法，給予補充或者採取一些補救措施，這樣推銷的效果會變得更好。無論客戶是在稱讚、抱怨、駁斥或是責難，業務員都要仔細聆聽，並適時表示關心與重視，這樣才會贏得客戶的好感，並得到善意的回報。

業務銷售祕訣▼

在很多時候，導致業務員銷售失敗的原因，不是業務員不會説話或者不善於説話，而是業務員説得太多。很多業務員在進行銷售工作的時候，總是從始至終一直滔滔不絕地説，向客戶灌輸自己的思想、自己的意見，強制客戶接受自己認為好的東西，而直到生意失敗。讓業務員感到困惑的是，自己明明説得很好，但卻遭到對方的無情拒絕。其癥結所在就是業務員不僅要學會聆聽，還應該引導客戶説出其內心所想，鼓勵客戶多説自己的事情，這才是聆聽的真正祕訣所在。

▶妙計4

用真誠讚美你的客戶

每一個客戶，都渴望得到別人的讚美。

每一個人，包括我們的客戶，都渴望得到別人的讚美。適當地讚美客戶，不僅能展現業務員高深的文化修養，更能為促成業務推波助瀾。因此，懂得讚美的人，肯定是優秀的業務員。在銷售活動中，如果你能恰如其分地讚美你的客戶，那麼就會讓你的客戶產生一種成就感，進而讓他在購買你的產品時有一種驕傲的心理，而且對你也會產生好感。當然，讚美的話誰都會講，但是在生活當中讚美也要適度，過猶不及反而會適得其反。只有恰當地讚美別人，方能取得他人的好感和信任。因此，在讚美他人時要注意技巧，可以參照以下兩個例子：

銷售實戰技巧▼

在一位客戶的新婚宴會上，新娘長得並不是很漂亮，甚至腿部還稍有殘缺。有一位業務員為了拉近與這位新郎客戶的距離，便到新人面前讚美道：「從來沒有見過這麼漂亮的新娘，簡直是白璧無瑕，太完美了！」這位業務員自認為說得很好，實際上他已經得罪了新娘和這位客戶。因為，大家都知道他的讚美過於虛假了，難道新郎不知道新娘的腿有殘缺嗎？這還能稱得上是完美嗎？可見業務員這樣不顧事實的讚美非但沒有收到良好的效果，反而有可能引起新娘或者客戶的誤解，認為這是對方在有意諷刺自己。

還有一個例子說的是：

銷售實戰技巧▼

有一位自我感覺非常良好的企業總經理對自己的個人形象非常看重，覺得自己能力很強，也很優秀。於是他便經常擺出一副冷冰冰的面孔，讓人感覺很難接近。有一位業務員聽說了這位老總的脾氣不好之後，在一次與該總經理合作時，一見面就說：「總經理，您好，很早就聽別的同事誇您，說您是個很爽快的人，辦事也特別有能力，還很會關照我們這些在底下辦事的業務員，這次能夠和您合作，實在是倍感榮幸。」聽完這番話，那位老總臉上馬上露出了笑容，並愉快地接待了這位業務員。

這位業務員的成功之處就在於他正確地讚美了那位客戶，使得那位客戶放鬆了戒備，試想有哪個人會讓誇獎自己的人難堪呢？心理學家分析得出，每個人都有天生的自卑情緒，這種心理決定了人們或多或少地喜歡別人稱讚自己聰明、有才華、有活力、做事細心等，只要你說出來，人家都是喜歡聽的。因此，作為業務員一定要學會讚美，並且更重要的是要學會讚美的正確方法。

卡內基曾說過：「人類最終、最深切的渴望就是做個重要人物的感覺。」這也就是為什麼多數人喜歡聽奉承話的道理。即使他們知道這些奉承話是假的，也仍然百聽不厭。但是讚美是一門藝術，它的技巧性是很強的，當你讚美別人時一定要誠懇只有態度誠懇，客戶才對你的讚美感興趣，你才能收到理想的效果。如果你的讚美之辭毫無誠意，客人會從你的語氣態度中聽出來，反而會感到虛偽，那麼這樣的讚美還是不說為妙。讚美既然要找出可贊之處，就要努力去觀察、去發現、去挖掘，找出客戶引以為豪並希望得到肯定的地方。

作為業務員即使讚譽之辭是出於好意的，效果也未必見得都是好的。因此，在讚美時需要注意以下幾點：

(1)一定要以事實為依據，讚美的內容不可憑空想像，如果只是讚美一些無中生有的事情，客戶就有可能把你當做「小丑」而不加理會了。

(2)讚美也要注意適度原則。你必須要清楚，讚美的目的是要說出你推銷的產品，並把它推銷給客戶，如果一味地說讚美的話，推銷也就失去了本來的意義。

(3)面對不同類型的客戶，讚美的內容也是不同的。對於男客戶來講，他們普遍比較在乎自己的能力以及取得的名利等，因此在讚美男客戶時要在這些方面多下工夫。而大多數的女性客戶則比較在意自己的容貌、穿著以及身邊的伴侶等，因此與女性客戶相處時讚美的重點就應該放在這些方面了。

業務銷售祕訣▼

讚美是人類溝通的潤滑劑，也是有效運用「移魂大法」的必要技能。對於業務員而言，如果能夠運用好這種技能，往往可以取得意想不到的效果。根據心理專家研究發現，一個人如果長時間被他人讚美，其心情會變得愉悅，與其交易也會順利很多。因此，業務員應該毫不吝惜地找到客戶的讚美點去進行讚美。當然，讚美也要真誠，否則反而會增添客戶對你的不信任感，拉開了你和客戶之間的距離。

▶妙計5

成功消除客戶的疑慮

業務員在開口之前，就應該先想想客戶是否願意聽這些，不然說再多也是白費口舌。

在銷售過程中，如何迅速有效地消除客戶的疑慮心理，對業務員來說是十分必要的。因為聰明的業務員都知道，如果不能夠從根本上消除客戶的疑慮心理，交易就很難成功。客戶之所以會產生疑慮心理，很可能是因為在他以往的生活經歷中曾經遭受過欺騙，或者是買來的商品不能滿足他的期望；也可能從新聞媒體上看到過一些有關客戶利益受到傷害的案例。因此，他們往往對業務員心存芥蒂，尤其是一些上門推銷的業務員更是常常會因此吃到閉門羹。

有很多業務員總是喜歡按照自己的想法，或者是自己喜歡的方式來說話。譬如，業務員一見到客戶就滔滔不絕地介紹，總是說自己的產品與眾不同，能給客戶帶來很多的利益，比同類產品更受客戶的歡迎等。但是很可惜，客戶不想聽這些，即使你說得再好，也不會產生任何打動人心的作用，反而會讓客戶感到厭煩。所以業務員在開口之前，就應該先想想客戶是否願意聽這些，這樣說是不是會讓客戶聽了感到高興，不然的話，說再多也是白費口舌。

銷售實戰技巧▼

小王是某大型電子賣場的店員。一個周日的上午，一位穿著時尚的小姐來到她的櫃檯前諮詢一款新型筆記型電腦的型號、功能及價格等問題。聽了客戶的要求，小王並沒有急於向她介紹公司的產品，而是先和她進行了溝通，瞭解她的需求點，比如購機是自用還是當做禮物用來送人。客戶在聽到小王這樣分析之後，感覺到小王是在幫助自己，就有了一種朋友的感覺，她們之間的距離也就拉近了，之後更是無話不談了。

其實，小王採取這一策略，無疑很輕易地解除了客戶的戒備之心，使客戶開始在心裡信任自己，接下來小王只需要再簡單地介紹一下產品，根據客戶的需求推薦給她合適的產品，這樣客戶也就很容易接受了。等到了討價還價的時候，理念的傳達就更為重要了，如果客戶購買產品是當做禮物的，作為銷售人員，你只需要讓她明白禮貴不在物上，而是在人的心意上，所以此時即使你開的價格高一些，客戶也大多還是樂於接受的。因此，銷售人員要積極尋求讓客戶信任你的方法，因為只有當客戶信任你之後，他才會樂於接受你的產品。

在銷售過程中，業務員要得到客戶的信任也並不是什麼難事，只要讓客戶認為你是在真心實意地為他服務，而你的產品或是你的服務也真的是他所需要的，這就足以讓他對你產生真誠的期待。只要你能和客戶達成一個共識就足夠了。客戶的眼睛都是雪亮的，他們的感覺也是很敏銳的，所以你的一句話、一個眼神、一個舉動，他們全都放在了心裡。一個好的業務員，就是要時時把客戶的利益放在首位。抱著這種工作態度，相信再難纏的客戶都會被你征服的。

業務員要把自己變成一個善於說話的智者，要會用最巧妙的語言把話說到對方心裡去，為自己順利開鑿一條成功銷售的通道。作為一名業務員，當你和你的客戶洽談時，如果你的客戶出現猶豫的情況，你就應該進行自我反思了，回想一下是否自己在向客戶介紹產品的時候出現了問題，向客戶介紹的是不是很清楚。一般來說，客戶的疑慮主要集中在品質、售後服務、支付能力等方面的問題，瞭解了這些方面，你在推銷時就可以做到遊刃有餘了。譬如，對高額的銷售專案可以提供分期付款服務；對某項技術有疑慮的可以請教專家，也可以請專業研究機構進行鑒定等。在銷售的關鍵時刻，業務員運用他們相對嫻熟的語言技巧，也往往能夠很輕易地打消客戶的疑慮。

業務銷售祕訣▼

業務員在銷售的過程當中，要盡自己最大的能力來消除客戶心中的顧慮，使他們覺得自己所購買的產品是物有所值的。從某種意義上來講，消除客戶顧慮的過程也是幫助客戶恢復信心的過程。因為當他們猶豫是否購買你的產品時，他們的信心出現動搖也是非常正常的現象。這時候，業務員如果能及時地幫助客戶消除疑慮，也就幫助他們強化了自己的信心和勇氣。

▶妙計6

體驗會讓客戶早作決定

俗話說「百聞不如一見」，只有真正的看到、觸碰到，才會產生質感。

透過讓客戶觀摩、聆聽、嘗試、試用等方式，使其親身體驗業務員所提供的產品或服務，讓客戶實際感知產品或服務的品質和性能，進而促使客戶認知、喜愛並購買。這種方式以滿足消費者的體驗需求為目標，以服務產品為平臺，以有形產品為載體，生產、經營高品質產品，拉近業務員和客戶之間的距離。《體驗式行銷》一書中將不同的體驗形式稱為戰略體驗模組，並將其分為五種類型：

❶ 知覺體驗

知覺體驗即感官體驗，將視覺、聽覺、觸覺、味覺與嗅覺等知覺器官應用在體驗行銷上。

❷ 思維體驗

思維體驗即以創意的方式引起消費者的好奇、興趣，對問題進行集中或分散的思考，為消費者創造認知和解決問題的體驗。

❸ 行為體驗

行為體驗指透過增加消費者的身體體驗，指出他們做事的替代方法、替代的生活形態與互動，豐富消費者的生活，進而使消費者被激發或自發地改變生活形態。

❹ 情感體驗

情感體驗即展現消費者內在的感情與情緒，使消費者在消費中感受到情感，如親情、友情等。

5 相關體驗

相關體驗即以透過實踐自我改進的個人渴望，使別人對自己產生好感。它使消費者和一個較廣泛的社會系統產生關聯，進而建立對某種品牌的偏好。

大名鼎鼎的銷售專家阿瑪諾斯精明能幹，不到兩年就由小職員晉升為銷售主管。下面看看他是如何進行推銷活動的。

銷售實戰技巧▼

現在要推銷一塊土地，阿瑪諾斯並不依照慣例向客戶介紹這地是何等的好，如何有升值空間，地價是如何便宜等。他首先是很坦率地告訴客戶說：「這塊地的四周有幾家工廠，若拿來蓋住宅，居民可能會嫌吵，因此價格比一般的便宜。」但無論他把這塊地說得如何不好，如何令人不滿，他一定會帶客戶到現場參觀。當客戶來到現場，發現那個地方並非如阿瑪諾斯說的那樣不理想，不禁反問：「哪有你說的那樣吵？現在無論搬到哪裡都是一樣的吵。」因此，在阿瑪諾斯的客戶心目中都堅信，實際情況一定能勝過他所介紹的情形，交易起來更是非常爽快。

俗話說「百聞不如一見」，聽到的在人們的心裡多少會覺得有些不真實，只有真正的看到、觸碰到，才會產生質感。因此，在銷售商品時，業務員要讓客戶能夠看到、摸到、感受到你的商品，這樣才會加深客戶的感覺，使客戶消除疑慮，產生信任。

當然有些商品和服務是無法讓客戶真實地去觸摸和感受的，比如，推銷「新馬泰十日遊」，業務員當然沒有辦法將那些旅遊景點一一搬過來讓客戶感受和觸摸，那麼又如何讓客戶積極地參與進來呢？業務員雖然無法讓客戶看見摸到，但卻可以調動客戶的想像力，透過自己具體的、生動的、繪聲繪色的描述，讓美好的東西在客戶的腦海中具體化，產生身臨其境的效果，這樣也能使客戶參與進來，使客戶「看」到你說的話。人的想像力是很豐富的，只要你能夠用巧妙的方法去激發，就能夠讓人產生似乎親身經歷般的感覺。

有經驗的業務員會時時讓客戶摸到、看到實實在在的商品，比如業務員推銷汽車，就要讓客戶親自坐在駕駛室，開關一下車門，按一下喇叭，聽聽發動機的聲音等，讓客戶親身真實的感受到汽車的性能。如果無法把商品擺在客戶的面前，就把它搬到客戶的腦中，調動客戶的一切感官，讓他真實地、具體地感受到商品的美好，最終愉悅地購買。

業務銷售祕訣▼

儘管體驗式銷售可以拉近業務員與客戶之間的距離，成為業務員推銷的新式武器，但體驗式銷售並不是適合於所有行業和所有產品。產品只有具備不可查知性，其品質必須透過使用才能斷定的特性，才可以運用這種方式。因此，業務員只有在推銷這種產品的時候才能實行體驗式銷售。

與產品相比，客戶更需要你的熱忱

對一個業務員來說，技巧並不是唯一重要的因素，業績的創造往往始於熱忱。

對於業務員來說，熱忱是對客戶、對工作極具感染力的一種發自內心的真實情感。可以說，沒有熱忱就無法做業務員。實踐證明，業務員自身的熱情對其成功的作用占百分之九十五，而產品知識只占百分之五。很多初入銷售行業的新人雖沒有學會太多的銷售技巧，卻能不斷地將產品銷售出去，創造相當不錯的業績，其原因就是他們對自己的事業高度熱忱。對於一個業務員來說，技巧並不是唯一重要的因素，業績的創造往往始於熱忱。

熱忱的心態是做任何事的必要條件。當你對工作有一種發自內心的熱忱，你的這種熱忱也就會傳遞給你的客戶，使他也對你抱有熱忱的態度，進而接受你所推銷的產品。所以說，熱忱不只是一種心態，也是一種推銷的「方法」。

銷售實戰技巧▼

有一次，有一位業務員來拜訪拿破崙．希爾。他把簡介冷冰冰地拿到拿破崙．希爾面前，希望拿破崙．希爾訂閱一份《週六晚郵報》。當然，拿破崙．希爾看到這樣一個沒有半點熱情的業務員，他的話中缺乏熱忱，他的神情陰沉沮喪。他急需從希爾的訂金中賺取他的佣金，但是他並未說出任何足以打動希爾的理由。因此，他無法做成這筆交易。

幾個星期之後，又有一位業務員來見拿破崙．希爾。她一共推銷六種雜誌，其中一種就是《週六晚郵報》，但她的推銷方法則大為不同。她看了看拿破崙．希爾的書桌，發現書桌上擺了幾本雜誌，她忍不住驚呼：「哦！我看得出來，你十分喜愛閱讀書籍和各種雜誌。」

用短短的一句話，加上一個愉快的笑容，再加上真正熱忱的語氣，她已經成功地中斷了拿破崙．希爾的工作，使拿破崙．希爾準備好要去聽她說些什麼。儘管先前拿破崙．希爾已經下定決心，絕不放下手中的文稿，藉以禮貌地向她暗示：拿破崙．希爾很忙，不希望受到打擾。

由於拿破崙．希爾自己也是一個銷售術和暗示原則的學習者，所以拿破崙．希爾密切注意，想要看看她下一步的行動是什麼。她懷中抱了一大疊雜誌，拿破崙．希爾本以為她會把它們展開，開始催促拿破崙．希爾訂閱它們，但她並沒有這樣做。

她走到書架前，取出一本愛默生的論文集。在以後的十分鐘內，她不停地談論愛默生那篇《論報酬》的文章，談得津津有味，竟然使拿破崙．希爾不再去注意她所攜帶的那些雜誌。不知不覺中，她給希爾講述了許多有關愛默生作品的新觀念，使拿破崙．希爾獲得了寶貴的資料。

然後，她問拿破崙．希爾：「你定期收到的雜誌有哪幾種？」拿破崙．希爾向她說明之後，她臉上露出了微笑，把她的那摞雜誌展開，攤放在拿破崙．希爾面前的書桌上。她一一分析了這些雜誌，並且說明拿破崙．希爾為什麼應該每一種都要訂閱一份。《週六晚郵報》可以讓人欣賞到最乾淨的小說；《文學書摘》以摘要的方式把新聞介紹給拿破崙．希爾，像他這樣的大忙人最需要這種方式的服務；《美國雜誌》可以向拿破崙．希爾介紹工商界領袖人物的最新生活動態等等。

但拿破崙．希爾並沒有像她所想像的那般反應熱烈，於是她向他提出了這樣一項溫和的暗示：「像你這樣有地位的人物，一定要消息靈通，知識淵博，如果不是這樣子的話，一定會在自己的工作上表現出來。」

她的話確實是真理。她的話既是讚美，又是一種溫和的譴責。她使他多少覺得有點慚愧，因為她已經調查過他所閱讀的資料，而那六種她推銷的暢銷的雜誌並不在他的書桌上。接著，拿破崙．希爾開始「說溜了嘴」，他問她，訂閱這六種雜誌共要多少錢。她很巧妙地回答說：「多少錢？呀，整個數目還比不上你手中所拿那一張稿紙的稿費呢。」

於是，她離開時，便帶走了拿破崙．希爾訂閱這六種雜誌的訂單，還有十二美元訂報費。但這並不是她利用巧妙的「暗示」和「熱忱」所獲得的全部收穫。她徵求了拿破崙．希爾的同意，又到拿破崙．希爾的辦公室去進行推銷，結果，她又招攬了拿破崙．希爾的五位職員訂閱她的雜誌。

當她停留在拿破崙．希爾書房的那段時間，一直不曾讓他留下這個印象：拿破崙．希爾訂閱她的雜誌是在幫她的忙。正好相反的，她很自然地使他有了這個感覺：她是在說明他。這是一種極為巧妙的暗示。

這個女業務員為什麼能夠成功？是因為她給了客戶一個暗示：我是在幫助客戶，而不僅僅是賺他的錢。這樣，時時讓客戶切身體會到業務員的熱忱，感到業務員可以信賴，客戶最終會接受業務員所推銷的產品。一個充滿熱忱的人，他所到之處，便會在人群中散發暖意，以此融化一切偏見和敵意，使客戶敞開心扉，促使交易成功。

更難能可貴的是，熱忱還可以使客戶消除對產品和對你的排斥心理，使他們與你達成共識。明白了這一點，當你接待任何一個客戶時，你都應該盡可能多地考慮到自己會給客戶留下什麼樣的印象：是熱忱還是冷漠，是考慮產品對他們的幫助，還是只考慮利潤。

業務銷售祕訣▼

對每一名業務員，尤其是銷售新人來說，熱忱是很重要的。熱忱的態度構建了你良好的形象，客戶會透過這種態度感受到尊重、受歡迎，就會和你保持長期的業務關係，這無疑將會提升你的銷售業績。

積極回應並解決客戶的抱怨

處理客戶的抱怨、投訴時，如果能夠擁有耐心與恒心，那麼必定會收到滿意的結果。

俗話說得好：「嫌貨才是買貨人」，客戶之所以「嫌棄」你推銷的產品不正是說明他對你的產品產生了興趣了嗎？客戶有了興趣，才會認真地加以思考，思考必然會提出更多的意見。這是事物發生的必然規律！如果一個客戶對你的任何建議都無動於衷，沒有任何的異議，不用猜了，這個客戶絕對沒有一點購買的欲望。

因此，當業務員遇到挑三揀四的客戶的時候，不要輕易地否定客戶的購買欲望，恰恰相反的，應堅定自己對貨物的信心，跟客戶誠懇地講解產品的優勢，不怕人嫌，不怕比較。愛因斯坦說過：「耐心和恒心總會得到報酬的。」業務員在面對客戶的抱怨、處理客戶投訴時，如果能夠擁有耐心與恒心，那麼必定會收到滿意的結果。

但是，如果在銷售的過程中，業務員不能正確處理客戶的抱怨，那麼將會給自己的工作帶來極大的負面影響。因為一個不滿意的客戶可能會把他的不滿意告訴給他的親朋好友，而他的親朋好友也同樣會把他的這種遭遇再告訴給自己的親朋好友。照此類推，其破壞力是不可低估的。所以說，一定要學會積極回應客戶的抱怨，努力做到讓他們傳播自己的好名聲。

通常來講，客戶的抱怨主要來自以下幾個方面：

(1) 客戶對產品的品質和性能不滿意：出現這種抱怨的原因很可能是因為廣告誇大了產品的價值功能，結果當客戶見到實際產品時，發現與廣告不符，由此引發了客戶的不滿。

(2)客戶對業務員的服務態度不滿意：例如，有一些業務員總是一味地介紹自己的產品，根本不去瞭解客戶的偏好和需求，同時對客戶所提出的問題也不能給予滿意的回答；或者是在銷售的過程中，業務員不能對所有的客戶一視同仁，出現輕視客戶、看不起客戶、不信任客戶的現象。

(3)產品的安全性能以及售後服務、價格等因素也都可能引發客戶的抱怨和不滿：

其實，不管是對廠家還是對業務員本身來說，客戶抱怨都是在提醒他們要不斷完善自身，做到最優最好。而且抱怨往往是來自期望，當客戶發現自己的期望沒有得到滿足時，也會促使抱怨的爆發。如果能夠妥善地處理這些抱怨，很有可能使壞事轉變為好事，不僅不會影響銷售，反而能促進銷售更上一個臺階。

銷售實戰技巧▼

汪萍萍上個星期在一家服飾專賣店看到一件非常漂亮的毛衣，但她喜歡的那種款式卻正好賣完了。店員看到汪萍萍對那種款式十分喜愛，就告訴她說，店裡過兩天要去訂貨，只要她先預付一定的定金，就可以幫忙給她訂一件。這天，店員通知汪萍萍來取毛衣。當汪萍萍拿起毛衣時，卻抱怨說：「不是一個廠家的毛衣嗎？怎麼看起來沒有其他款式的品質好呢？做工這麼粗糙，到處都是線頭。而且，顏色也比圖片上所顯示的要淺，我還是比較喜歡圖片上的那種顏色。」

站在一旁的店員看到這種情況，微笑著說：「真是抱歉，不過我敢保證，這種款式的毛衣與其他款式的毛衣的品質絕對是相同的，而且它是剛出廠的貨，我們還沒有經過任何修剪，所以線頭就多了一點。你要是不著急拿回去穿的話，我很樂意幫你把這些線頭修得整整齊齊的。顏色的差別多少會有一點，不過我現在知道了，你比較喜歡圖片上的顏色，希望你沒事常來逛逛，下次我一定給你介紹這種顏色的衣服。」

汪萍萍聽到店員真誠的解釋，抱怨一下子就沒有了，高高興興地拿起毛衣回家了。後來，她成了這家店裡的常客，而且還介紹了不少的朋友來光顧。

銷售時一定要具有面對客戶抱怨的心理準備。當客戶抱怨時，業務員首先需要做的是不能感情用事。可能，在業務員看來，一些客戶是雞蛋裡面挑骨頭，商品的品質和性能明明很好，他們硬要挑出一些根本不是毛病的毛病。此時，業務員一定要注意自己説話的語氣和態度，不能客戶憤怒時你比他還要憤怒。在他們抱怨時，業務員首先要做一個忠實的傾聽者，一定要克制自己的情緒，讓客戶把話説完，然後盡可能冷靜、緩慢地交談，對客戶提出的各種問題予以解決，如果實在解決不了，可以找自己的上司請教。這樣可以紓解客戶激動、憤怒的情緒，也能夠為自己爭取到思考的時間。而且，當客戶意識到你的真誠以及你服務的周到，客戶的怒氣就會減少很多。此時，所有的問題可能就會迎刃而解。

業務員應該把客戶的抱怨當做磨練自己的機會。遭遇客戶抱怨時，一定要保持一種平靜、坦然的心態。因為只有在不斷的解決問題中，你才能夠不斷進步，變得更加優秀、出色和卓越。而且抱怨不僅僅是一種不滿、一種憤怒，它還是一種期待、一種資訊。透過客戶的抱怨，你會明白在以後的工作中應該避免哪些問題的發生，或者是再發生這類問題時應該怎麼進行解決。這樣不僅能夠贏得客戶對自己的信賴，也能夠提升自己成功應對各種挫折的能力。

當然，在應對客戶抱怨的過程中，業務員最忌諱的就是迴避和拖延解決問題的時間。要敢於正視發生的問題，並以最快的速度進行解決，把客戶的事情當做自己的事情來做，站在他們的立場來思考問題，並對他們的抱怨表示歡迎，而且對客戶表示抱歉……那麼，你就一定能夠化干戈為玉帛，化抱怨為感謝，化懷疑為信賴。最重要的是，這個客戶可能將會是你永遠的客戶。

業務銷售祕訣▼

在銷售過程中，不可避免地會有客戶對銷售工作或產品產生不滿。當然，碰到客戶的抱怨確實是件讓人頭疼的事情。但是，耐心具有強大的征服力，無論如何業務員都要耐心地傾聽客戶的意見，然後發現問題並解決問題。從另一個方面講，讓客戶說得越多，他透露的資訊就會越多，對我們認識客戶就會越有利。掌握的資訊越多，我們在整個銷售溝通中就越能佔據主動地位。

用正確的態度對待客戶的投訴

跟客戶論出個是非曲直對你的業績並沒有什麼幫助。

業務員處理客戶投訴時，方法有很多種，其中業務員處理客戶投訴的口才及技巧是說服客戶的關鍵，經常面對一些非常無理的客戶，也許你會想：客戶如此無理，有必要對他講風度嗎？但是，業務員是追求利潤和業績的，不是辯論會，跟客戶論出個是非曲直對你的業績並沒有什麼幫助。也許你還會想：難道為了業績和利潤就要犧牲人格嗎？其實問題並沒有那麼嚴重，無理的客戶通常是處於情緒衝動中，他的無理舉動往往也是對事不對人，再者，對無理的人講風度，一般不會損害到個人人格。

在處理投訴時，業務員要學會自我情緒的控制，在激烈的爭吵當中仍然要保持冷靜，這對一個客戶服務人員來講，是一個非常重要的事。當接待完很多客戶以後，業務員往往會出現疲勞、煩躁、沮喪的狀況，這時需要調整好自己的情緒，最好的方式就是進行「自我對話」。當你的情緒很激動的時候，可以進行一些如下的自我對話，將情緒控制住。

❶ 耐心傾聽

面對客戶投訴時，業務員必須耐心傾聽，讓客戶將投訴情況講完，然後站在客戶的立場上去給客戶解決問題。但是很多業務員常犯的錯誤是：客戶剛一說話，業務員就急忙將其打斷，迫不及待地進行解釋，這是激怒客戶的行為。要知道，客戶向我們投訴，主要的目的是向我們傾訴他們內心的種種不滿和意見，希望我們能幫助他們解決問題，而不是希望來聽我們的解釋、說明或辯護的。

銷售實戰技巧▼

有一位姓張的先生在他訂的奶粉中發現了一小塊玻璃碎片。於是前往奶粉公司去投訴。不用說，他的情緒是憤怒的。一路上他已經打好腹稿，想出了許多尖刻的詞語。他還感到自己的此行決不是單純為了自己，而是為了千千萬萬個孩子，為全市的人民去要求奶粉公司負起社會責任來。他還想到，如果奶粉公司不給出令他滿意的答覆，他就要向報紙、電視甚至向司法機關揭發，或直接告到消基會去。

他一到奶粉公司，吵著非要見總經理不可，副手都不行。一到總經理辦公室，他連自我介紹都省略了，把總經理伸出的友誼之手也撥向一旁：「你們奶粉公司，簡直是要命公司！你們都掉進錢眼裡去了，為了自己多賺錢，多分獎金，把我們千百萬消費者的生死置之度外……」好在這位總經理經驗豐富，面對這麼強大的刺激，毫不動怒，仍舊誠懇地對他說：「先生，究竟發生了什麼事？請您快點告訴我，好嗎？」

張先生繼續激動地說：「你放心，我來這裡正是為了告訴你這件事的。」說完，從提袋中拿出奶粉盒子，「砰」的一聲，重重地往辦公桌上一放，說，「你自己看看，你們都是做了什麼樣的好事！」

總經理拿起奶粉盒子仔細一看，什麼都明白了。立刻收斂起微笑，有些激動，說：「這是怎麼搞的，人吃下這東西是要命的，特別是老人和孩子。若吃到肚子裡去，後果不堪設想！」說到這裡，總經理一把拉住張先生的手，急切地問，「請你趕快告訴我，家中是否有人誤吞了玻璃片，或被它刺傷口腔。我們現在馬上叫車送他們去醫院治療！」說著，拿起電話準備叫車。

這時候張先生心中的怒火已十去八九了，告訴總經理說，並沒有人受傷。總經理這才轉憂為喜，掏出手帕，擦擦額頭滲出來的汗珠說：「哎呀！真是謝天謝地。」接著又對張先生說，「我代表公司的幹部員工向您表示感謝，因為您為我們指出了工作中的巨大的疏失。我要將此事立刻向全公司通報，今後務必杜絕此類事情發生。還有，您的這盒奶粉，我們要照價賠償。」

任何一個客戶來投訴時，無論開始的脾氣有多大，只要我們耐心地聽，鼓勵他把心裡的不滿都發洩出來，那麼，他的脾氣會越來越小。只有客戶恢復了理智，才能正確地著手處理面前的問題。而且因情緒激動而失禮的客戶冷靜下來以後，必然有些後悔，這比我們迎頭批評他們要有效得多。

❷ 恰當擬定應對客戶投訴的措辭

傾聽並分辨出客戶投訴的類型、內容，那接下來業務員必須對他的投訴作出反應。處理投訴的方式有道歉、說明、說服三種，但必須配合適當的態度、聲音和措辭。讓投訴的客戶心悅誠服，關鍵在於業務員措辭的技巧，如果措辭運用不當反而弄巧成拙，那些原本能解決的事也變得不可解決了。

❸ 注意處理客戶投訴的聲調

聲音可以說是處理客戶投訴中一個重要的技巧。業務員的說話及聲調，是客戶瞭解業務員的一種途徑。在不同的場合，說話的聲調是不同的。例如處理客戶投訴時，說話一定要清晰，表達要清楚，速度的快慢根據客戶的緩急程度而定。如果遇上一個負責處理投訴的人語氣生硬，且每句話的結尾都模糊不清的話，那就連一點交談的誠意都沒有了，這樣會令客戶越來越想結束談話。

所以在練習處理客戶投訴的聲調時，首先對客戶要以平常心看待。處理客戶投訴時，業務員對投訴電話以及客戶本身，不要存在緊張或害怕的心理。而應用對待一般客戶的方式來對待客戶的投訴，否則聲音也會跟著情緒而上揚，使你無法流暢地對話。在談話中，業務員的聲音應該始終保持洪亮、清晰。另外，說話的時候喉嚨不要緊繃，要運用吸進去的空氣使喉嚨發聲更清晰明朗，令聲音聽起來抑揚頓挫，中氣十足。

迅速解決客戶的投訴是十分必要的，我們不但要順利地解決，而且還必須掌握說話的技巧。業務員應該冷靜地對待客戶的怒火，詢問並引導客戶講出他心中的想法。在他講清楚原因後，要站在他的立場上積極考慮問題，給客戶一個明確的答覆及一個解決方案，能夠馬上解決就馬上解決，不能當場解決的，把處理的意見、日期、辦法明確告訴客戶，消除客戶的疑慮或者誤會。最終對客戶道歉或是致謝，汲取投訴的經驗，進而更用心地提升自己的產品和服務的品質。

用心地掌握應對客戶投訴的語言藝術，才能使每一個客戶都安心，每個抱怨都得到完滿解決。

業務銷售祕訣▼

業務員在遇到客戶投訴時，不要讓客戶的情緒影響了你，同時要以平靜的心情聽完客戶的抱怨，從中弄清楚事故產生的原因，然後解決問題。這樣才能排除客戶的抱怨，說服客戶。如果業務員對客戶的投訴不聞不問，即使被問到頭上，也是以強硬的態度來回應，那樣只會增加客戶的不耐煩，使得情況更加惡化。

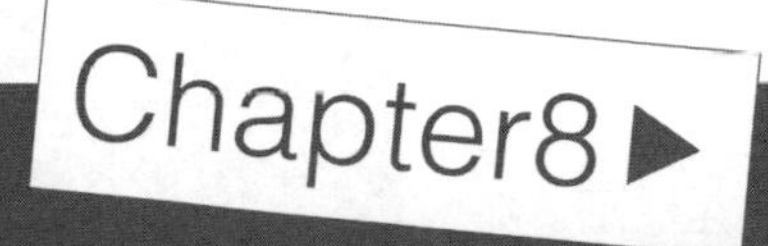

關注顧客重視的細節——8個**細節**，讓顧客和你做永久的生意

很多人感歎：「銷售越來越難做了。」然而，在同一時代卻不斷湧現出新的金牌業務員。他們為什麼會成功？是他們幸運嗎？絕對不是！而是那些卓越的業務員知道如何讀懂客戶所關注的那些細微之處，所以他們成功了！學習和掌握他們的銷售技巧，在平時多加訓練，你的成功指日可待！

▶細節1

巧妙預約是成功的第一步

學會尊重自己的客戶，善於和客戶進行預約服務。

業務員可能都會有這樣的體驗，那就是很多客戶都難得一見，特別是想要到客戶的家裡或者辦公室去談生意，當業務員提出這樣的要求時，得到的往往只是對方的拒絕。貿然地提出到客戶那裡談生意是很不禮貌的行為，而且也會引起客戶的反感。所以業務員要學會尊重自己的客戶，善於和客戶進行預約服務，當你成功地完成了預約，那麼你已經向勝利邁進了一大步。

預約客戶可以說是業務員必備的基本功，這項技能掌握不好，業務員在銷售中就會因為自己的魯莽而失去潛在客戶。不管人們在想什麼或者做什麼，都會提前進行安排，突然降臨的事情，往往會讓人一時間手足無措甚至心理不安。因此業務員千萬要注意這一點，學會為客戶提供預約服務。

預約對於老客戶可能會容易成功，對於從未謀面的新客戶就會比較困難，這時業務員進行預約，最好先不要提及銷售商品的事情。如果客戶聽到你說與他見面只是為了推銷商品，那麼就很容易引起客戶的抗拒心理，進而遭到嚴詞拒絕。所以當客戶問你找他有什麼事的時候，業務員千萬不要談生意的事情，要為彼此能夠見面、能夠認識、能夠簡單地進行交流，能夠引起客戶的興趣奠定基礎，這樣才能達到銷售的目的。

對於業務員來說，進行「銷售預約」既能夠表現出自身應有的禮貌和素質，又能夠設下懸念，引起客戶的興趣，還可以化解客戶的抗拒；對於客戶來說，預約服務可以給自己節約時間，使自己做好一定的心理準備。彼此在約定的時間裡見面並洽談，都珍惜短暫的見面機會，進而使得業務員能認真地對待，而客戶也會認真地傾聽，最終收到十分明顯的效果。

銷售實戰技巧▼

小葛是一位優秀的保險推銷員，在與某公司的張總成功地簽過一筆單子以後，那位張總又給他介紹了自己的一位姓劉的朋友，也是一家公司的經理。幾天以後，小葛開始透過電話來預約這位客戶。

小葛說：「您好劉經理，我是小葛，您是張總的朋友吧？我們聊天的時候他提起過您，他讓我向您問好。」

劉經理：「是的！」

小葛：「劉經理，我是XX保險公司的推銷員，張總建議我應該結識您。我知道您很忙，我能夠在這周的某一天打擾您五分鐘嗎？」

劉經理：「你見我有何貴幹？不是想推銷保險吧？已經有很多業務員找過我了，我不需要買保險。」

小葛：「那也沒有關係，我保證不會向您推銷保險。明天十點，您能給我五分鐘的時間和您見面嗎？」

劉經理：「好吧，但是十點半我還有別的安排，希望你不要超時。」

小葛：「好的，您放心，我保證不會超過五分鐘。」

劉經理：「好吧，你能準時十點十分到嗎？」

小葛：「謝謝，我一定準時到達。」

第二天小葛準時到達了劉經理的辦公室。小葛和劉經理邊握手邊說：「劉經理很忙，時間是很寶貴的，所以我一定會遵守五分鐘的約定。」於是小葛儘量簡短地向劉經理進行了提問，五分鐘時間很快就過去了。這時小葛說：「時間已經到了，您還有什麼要告訴我的嗎？」

劉經理在接下來的十五分鐘裡把小葛想知道的一切都告訴了他，而且完全是自願的。之後小葛又找時間和劉經理談了幾次，結果小葛很快就說服了劉經理，購買了自己一個二百萬元的保險。

小葛就是一個善於預約的銷售高手，僅用五分鐘的時間就讓客戶主動延長了彼此的談話。他信守承諾，成功地完成了第一次見面，不僅獲得了最有用的資訊，還給客戶留下了美好的印象，所以最終成功實現了銷售。

有人說，預約客戶的方法只是比較適合於那些經常出去拜訪客戶的業務員使用，而對那些在店裡站櫃臺，或者在辦公室聯繫客戶的業務員則是不適合的。其實不然，不出去拜訪客戶的業務員也可以進行預約。前者是預約自己去見客戶，後者則可以預約客戶來見自己。很多業務員可能會這樣的感歎道：「客戶怎麼會自己走進我的辦公室啊？」「讓客戶來見我，那豈不是太高抬自己了！」

曾經有一位很優秀的業務員說：「我在辦公室完成了百分之六十五的工作，我總是把我和客戶的談話安排在辦公室。在這裡和客戶談話，不會受到干擾，可以進行得更快、更令人滿意。」其實很多時候客戶也是喜歡這樣的方式的。

銷售實戰技巧▼

有一個服裝店的老闆，因為他講求誠信，對客戶服務周到，受到了很多客戶的青睞生意很好。但是後來由於周圍的服裝店開得越來越多，生意開始變淡，甚至有時候收入都不夠交店面的租金。這樣的情況讓服裝店的老闆心急如焚，這時店裡的業務員給他出了個主意，就是預約客戶。

於是老闆買了一個預約登記本，打電話給自己的老客戶們，並為他們做了詳細的預約記錄，有的新客戶也被列入其中。一旦店裡有什麼新貨，或者有的客戶已經十天半個月沒有光顧，他就會打電話問候並告知客戶。隨著預約服務的開展，他的生意很快又好起來。因為這樣客戶在家就能夠瞭解到最新的資訊，還節約時間，所以很是喜歡這種方式。

預約客戶是業務員應該長期堅持的一種習慣，不僅要預約自己去拜訪客戶，也可以預約客戶來接受服務。只要你能夠給客戶提供方便，客戶就會比較容易接受。同時讓客戶主動地表達自己，使你獲得更多有用的資訊，幫助自己順利開展銷售。

業務銷售祕訣▼

事實上，預約客戶不僅是一種銷售必需的程序，其中還暗含著很多的心理技巧。業務員只有仔細揣摩客戶的心理，順勢而動，才能夠抓住客戶的心，使客戶向你敞開心扉，接受你的產品。

▶細節2

掌握自己產品的相關資訊

做一位產品專家，這樣才能贏得客戶的信任。

客戶最希望推銷人員能夠提供有關產品的全套知識與資訊，讓客戶完全瞭解產品的特徵與效用。倘若推銷人員一問三不知，很難在客戶中建立信任感。業務員在出門前，應該先充實自己，多閱讀資料，並參考相關資訊，做一位產品專家，這樣才能贏得客戶的信任。

❶瞭解產品知識的幾點理由

(1)產品知識是建立熱忱的兩大因素之一。若想成為傑出的銷售高手，工作熱忱是不可或缺的條件。熟知你所銷售的產品的知識，才能對你自己的銷售工作產生真切的工作熱忱。而能用一大堆事實證明做後盾，是一名推銷人員成功的基礎。要激發高度的銷售熱情，你一定要變成自己產品忠誠的擁護者。對自己的產品使用感到滿意的話，自然會有高度的銷售熱情，不相信自己的產品而銷售的人，想打動客戶的心，會比登天還難的。

(2)我們需要產品知識來增加勇氣。許多剛出道不久的推銷人員，甚至已有多年經驗的業務代表，都會擔心客戶提出他們不能回答的問題。為什麼會害怕客戶提出這樣的問題呢？因為他們不知道這些問題的答案啊！對產品知識知道得越多，工作時自然信心十足。

(3)產品知識會使我們更像專家。

(4)產品知識會使我們在與專家對談的時候，能更有信心。尤其在我們與採購人員、工程師、會計師及其他專業人員談生意的時候，更能證明充分瞭解產品知識的必要。可口可樂公司曾詢問過幾個較大的客戶，請他們列出優良推銷人員傑出的原因。最多的回答是：「具有完備的產品知識。」

(5) 你需要產品知識來有效處理反對意見。當客戶告訴你：「你們的機器沒有某某牌的機器做得好。」這時，你最好對自己的產品和某某牌的產品都十分瞭解，否則交易大概要泡湯了。

(6) 你對產品懂得越多，就越會明白產品對使用者來說有什麼好處，也就越能用有效的方式為客戶作説明。

(7) 產品知識可以增加你的競爭力。假如你不把產品的種種好處説給客戶聽，你如何能激發客戶的購買欲望呢？瞭解產品，你便能無所懼怕。

(8) 產品知識能讓你更有自信。堅信自己的產品能夠給客戶帶來利益，否則你不可能真正認同自己的工作。將一個適合客戶的產品帶給客戶，銷售工作的本身是賦予了我們這一內涵。但進入銷售行業的人往往會被客戶的表面態度擊敗，世界上沒有永遠的拒絕，也沒有最好的產品。所有的一切僅僅圍繞一個原則，什麼樣的客戶需要什麼樣的產品。不要以為你的產品和對手的產品在功能上無法相提並論。

其實，你產品的價格和適應性，你的服務，還有你自己，都能夠為客戶找到合適而且合算的理由。用心去經營你的產品，這是你的興趣所在。你的客戶接受了您的推薦而獲得了相應的利益，這又何樂而不為呢？相信自己——我一定要做到，我一定能做到。

(9) 你需要產品知識去贏取客戶的信任。

❷詳細瞭解產品內容

只有詳細瞭解產品，產品蘊含的價值才能透過你自己的銷售技巧展現出來。你需要瞭解產品的以下方面的內容。

(1) 產品的構成。構成產品的幾個要素如下：產品名稱、物理特性（包括材料、質地、規格、美感、顏色和包裝）、功能、科學技術（即產品所採用的技術特徵）、價格、運輸方式、產品型號等。

注意：分析產品的時候不要加入任何感情因素，產品就是產品，即使是不需要的人，他同樣會承認這個產品的存在。客觀瞭解你所銷售的產品是你在客戶面前表現自信的基本條件。

(2) 產品的價值。產品的價值是指產品能給使用者所帶來的價值，構成產品使用價值的因素有以下幾種：

第一是品牌。這是確立客戶購買決策的重要因素，在眾多的產品品牌中，你銷售的產品品牌形象、市場佔有率是否處於有利的地位。

第二是性價比。透過產品說明書的性能參數可以確定產品的性能，性價比是客戶確定購買的依據。

第三是服務。不僅是售後服務，而且包括整個銷售過程中你給客戶帶來的信心和方便。

第四是產品名稱。一個好的產品名稱能給客戶帶來一種親和力。對推銷人員來說，產品的名稱並不能由推銷人員來確定，但潛在客戶獲知產品的名稱是透過推銷人員來描述的。如何將產品的名稱透過你的語氣表現出信心和親和力，是推銷人員必須訓練的技巧。

第五是產品的優點。是產品在功效上（或者其他方面）表現出的特點：如傳真機有記憶裝置，能自動傳遞到設定的多個對象。

第六是產品的特殊利益。特殊利益是指產品能滿足客戶本身特殊的要求，如：每天和國外總部聯繫，利用傳真機可以加快速度並有利於節約國際電話費。

總之，產品的綜合價值是客戶最主要的購買動機。我們不否認客戶的購買動機各不相同，但真正影響客戶購買的決定因素就是產品能帶給客戶多少利益的價值。只有綜合價值的某一方面或多方面能夠滿足客戶的需求，客戶才會購買你的產品。

(3) 產品的競爭差異。基於市場原則，市場競爭的存在性，我們可以對同類產品作比較性分析。比較的內容可以包括：材料、質地、規格、美感、顏色和包裝、功能、科技含量、價格、結算方式、運輸方式、服務、代理商、品牌、廣告投入、效果、市場佔有率、市場變化、客戶滿意度等。

沒有競爭的產品，推銷人員不會有什麼競爭力。正因為競爭非常激烈，推銷人員在自己的業務生涯中始終保持競爭力，才更有意義。

❸ 精通產品或服務的知識

對一個專業的推銷人員來說，任何「產品的更新速度快」、「公司訓練跟不上」等藉口都不應該阻止你去掌握所銷售產品的知識。任何工作都一樣，只有努力去鑽研和學習，才能掌握比他人更多的知識，工作才能更出色。對你來說，客戶是透過你來瞭解產品知識的，如果不通，你又如何能夠解決客戶的疑問呢？

推銷人員要能夠有效地說服客戶，除了具備完整的產品知識外，還需要明確說明的重點即產品的訴求點。有效、確實的訴求重點來自於平時對各項情報的收集整理和與客戶的多次接觸。

(1) 透過閱讀資料獲取。新聞雜誌選摘的資料、產品目錄、產品簡介、設計圖、公司的訓練資料等，是最快捷、最直接獲得產品或服務資訊的途徑。

(2) 可以從相關人員獲取。上司、同事、研發部門、生產製造部門、行銷廣告部門、技術服務部門、競爭者、客戶等都可以成為你獲得產品或服務資訊的對象。

(3) 自己的體驗總結。自己親身銷售過程的心得、客戶的意見、客戶的需求、客戶的異議等，也能反映出產品或服務某方面的資訊。做一位產品專家，才能贏得信任。

業務銷售祕訣▼

「巧婦難為無米之炊」。業務員只有充分瞭解自己的產品及服務，才能嫻熟地運用它們來吸引客戶的注意、滿足客戶的需求，進而提高銷售業績。從這個角度講，每一個業務員都應該是頂級的產品專家。業務員只有具備了專業的產品知識，才能毫不遲疑地回答出客戶提出的任何問題，才能信心十足地向客戶展示自己的產品。

▶細節3

滿足需求，讓客戶覺得物有所值

滿足客戶的需要才是達成推銷最有效的手段。

銷售就是介紹商品提供的利益，以滿足客戶特定需求的過程。商品當然包括有形的商品及服務，滿足客戶特定的需求是指客戶特定的欲望被滿足，或者客戶特定的問題被解決。能夠滿足客戶這種特定需求的，唯有靠商品提供的特別利益。因此，銷售其實非常簡單，就是要你找出商品所能提供的價值，滿足客戶的需求。「滿足客戶的需要」才是達成推銷最有效的手段。

《伊索寓言》裡有這麼一則故事：

北風與太陽經常抬槓，它們每次都為了誰比較厲害而爭論不休。有一天，它們又為了誰厲害的問題吵起來。這時正好有個路人走過，於是它們相約以路人為兩人競賽的目標：誰要是能使路人脫衣，誰就得勝。

北風覺得自己風力高強，立刻吹起寒冷強勁的北風，結果路人非但沒脫衣，反而因為冷而把大衣拉得更緊。接下來輪到太陽，只見它露出笑臉，慢慢增加地面的溫度，在陽光的暴曬之下，路人因耐不住熱，而把衣服脫下。

北風用強迫的手段，無法使路人就範；太陽則慢慢散發熱量，使路人覺得熱，他為了要散熱，自動把衣服脫下來了。如果說你是一個業務員的話，在推銷產品之時，請問你會採用北風「強迫」的手段，還是太陽「滿足需要」的手法呢？美國企業家瑪麗．凱說：「企業不再是賣產品，而是賣別人的需要。」業務員在向客戶推銷產品時，要讓他們感覺到，你是在幫助他們解決問題，滿足他們的需要，而不是在向他們強行推銷自己的產品。但如果你想成為非常優秀的業務員，就不能僅僅局限於滿足客戶對產品的需要，還要注意到客戶的其他需要，否則仍然有可能無功而返。

銷售實戰技巧▼

一踏進客戶的辦公室，一位推銷電話系統的業務員就為自己的正確來訪感到高興。他發現客戶使用的電話系統已經過時很多年了，而自己推銷的新型電話系統正好可以滿足客戶的需要。

可是在初步接觸之後，業務員馬上感到問題有些困難。客戶對舊的電話系統相當滿意，沒有更換的打算。但是他沒有灰心，因為自己過去的很多客戶在看過他做的展示後，都改變了原來的想法。

「先生，我想我可以為您做一下展示。」說著業務員很自然地拿出自己的產品，走到電源旁邊。就在要接通電源時，他聽到了客戶的強烈反對。

「馬上停止展示！」

接著客戶說出了他反對的原因：他擔心這樣做可能造成短路，甚至引起火災！雖然業務員極力辯解，顯示自己有這方面的專業知識，但最終還是被請出了客戶辦公室。

如果這名業務員注意到客戶需要的不僅僅是他的電話系統，更需要一種安全感，那他就不會這麼快被拒絕了。多想一下客戶的需要，如果你能為他們解決一些問題，那麼推銷自己的產品也就不是什麼問題了。在面對你的時候，客戶可能有很多需要。如果你只想著自己的產品怎麼行呢？銷售的起點是客戶的需要，終點是客戶的滿足。記住：你的目的是滿足對方需要，物質的和心理的。

銷售實戰技巧▼

一對夫婦在翻閱雜誌時，在插頁廣告中看到一座古式掛鐘被用來當做背景，襯托出非常優美的氛圍。

太太說道：「你瞧這鐘多好！若是掛在家裡的走廊上或是大廳中，那就再好不過了。」

先生回應道：「是呀，我也正想買個類似的鐘掛在家中，只是不知道要多少錢，廣告中並沒有提到它的價錢。」

經過三個月的尋覓，他們終於在一個古董展示會場的參展商品中找到了這座掛鐘。太太興奮地說：「就是它，就是這個！」

「對呀！就是這個。」先生答道，「但是我們說好了，不超過五百元。」

先生問道：「我也不多說，這個鐘我準備出個價錢，我也不想討價還價，聽著，二百五十元，賣不賣？」

接下來售貨員應該如何回答呢？想一想，如果售貨員連眼都不眨一下說道：「這鐘是你的了。」你覺得先生的反應會如何？他會興高采烈地想「馬到成功，而且省了一半的錢」嗎？不，肯定不會的。因為，我們都有類似的經驗。他的第一反應必然是：「怎麼搞的，我要是出一百五十元就好了——他答應得這麼爽快，這鐘肯定有問題。」

而接下來呢，當他提著剛買來的鐘走向停車場時，又對自己說道：「這鐘應該很沉重才對，怎麼那麼輕呢？裡面一定少了什麼零件。」

當鐘掛在走廊上時，效果很好，而且走得很準確，可是在一開始的幾天，這對夫妻的心情卻輕鬆不起來。為什麼呢？只因為售貨員厚顏無恥地收了他們二百五十元，他們始終耿耿於懷。這位售貨員成功了嗎？沒有，他沒有滿足客戶的心理需要，失去了他們的信任。

所以，這就是售貨員的失敗所在——他急於成交自己的產品。這讓客戶覺得物品沒有達到它應有的價值，因此這次交易讓客戶憑空生出疑惑；若成交之後你喜形於色，會給客戶一種被宰了的感覺；即使沒能成交，你也要堅信自己的產品正是客戶所需要的，並透過語言、行為、表情、姿態等表現出你的信心。你的自信將使客戶對你及你的產品加倍地信任，而且會認為自己的購買決定是理智的。成功的銷售就在於——讓客戶覺得物有所值。

業務銷售祕訣▼

大師級推銷員、美國富翁之一佛蘭克．貝特格曾經說過：「有些推銷人員之所以失敗，是因為他們根本不知道什麼是銷售的關鍵點。其實關鍵點很簡單，就是：客戶最基本的需求或是最感興趣的細節。」並不一定最好的產品或服務就是最適合客戶的，客戶能否接受你的成交請求，最基本的原因在於你是否能夠幫助他解決實際問題並物有所值。

▶細節4

以優質的服務俘獲客戶

當你用優質的服務將客戶包圍，就等於是讓你的競爭對手永遠也別想踏進你客戶的大門。

你是否知道有這樣一種人？他們「狂熱」地尋求更好的方式，以「取悅」他們的客戶。不管推銷的是什麼產品，他們都有一種堅定不移的、日復一日的服務熱情。各行各業的佼佼者都是如此。如果你研究一下日本真正成功的公司，將發現他們都有一個共同的特點——在各自的行業為客戶提供最優質的服務。像松下電器公司、三菱公司、東芝公司這樣的國際知名大公司無一不在各自市場上佔有很大的佔有率。同樣的，這些公司的每一位推銷員都致力於提供上乘服務。

當你用長期優質的服務將客戶包圍，就等於是讓你的競爭對手永遠也別想踏進你客戶的大門。贏得終身的客戶並不是靠一次的服務，要想建立永久的合作關係，你絕不能對各種服務掉以輕心。做到了這一點，客戶就會覺得你是一個可以依靠的人，因為你會迅速回電話，按要求送上產品資料等等。這些話聽起來是如此地簡單——確實也簡單，做到「幾十年如一日」的優質服務並不是什麼複雜困難的事，但它確實需要持之以恆的精神。

也有一些推銷員認為替客戶提供優質服務賺不了什麼錢。乍一看這種觀點好像很正確，因為停止服務可以挪出更多時間去開發新客戶，但是事實不是這樣。人們的確需要高品質的服務，他們也願意一次又一次地向你購買產品，更重要的是他們樂意介紹別的人給你，這就所謂的「滾雪球效應」。

因此，要想成為一名優秀的業務員，你必須提供優質的售後服務。所謂售後服務，就是在商品出售以後所提供的各種服務活動。大公司都是透過售後服務來提高企業的信譽，擴大產品的市場佔有率，提高推銷工作的效率及效益。

銷售實戰技巧▼

推銷員坎多爾佛十分注重成交後的服務，在他看來，「優質的服務就是優質的推銷」。他說：「要想與那些優秀的推銷員競爭。就應多關心你的客戶，讓他感到你這兒有賓至如歸的感覺。你應該建立一種信心，讓他永遠不能忘掉你的名字，你也不應忘記客戶的名字。你應確信，他會再次光臨，他也會介紹他的同事或朋友來。能使這一切發生的方法只有一個，就是你必須為客戶提供優質服務。」

有些目光短淺的人認為服務是一種代價高昂的時間浪費，就像贏了還是繼續賭一樣，這種觀點是完全錯誤的。因為我們必須正視這樣的事實：服務品質是區分一家公司與另一家公司、這位推銷員與那位推銷員、這件產品與那件產品的唯一因素，在我們高度競爭的自由市場下，沒有一種產品會遠遠超過競爭對手，但是，優質服務卻可區分出兩家企業的優劣。一旦你確實為客戶提供了優質服務，你就會成為令人羨慕的少數優秀推銷員，因為你比你的競爭對手更優秀、更具優勢。

坎多爾佛不僅在推銷過程中提供優質服務，他還向我們傳授了他的售後服務方式，他說：「有個好主意可使你在售後繼續提供優質服務，那就是在成交後著手給他寫上幾句什麼，或是打個電話。」

坎多爾佛總是堅持售後給客戶寫上幾句，他是怎樣寫的呢？我們擇一例來看看：

親愛的約翰：

恭賀您今天下午作出決策，加入人壽保險。這當然是建立良好的長遠理財計畫的重要一步。我希望我們的會見是我們長期友好關係的開端，再次對您的訂單表示感謝，並祝您萬事如意。

您的忠誠朋友

喬・坎多爾佛

「如果不與你的客戶保持聯繫，你就不可能為其提供優質品服務。」坎多爾佛在其推銷生涯中，自始至終都牢記著這一信條，可以說這是他成功的關鍵所在。今天的售後服務並不是客戶已經買了你的東西，你才去給他做服務，而是你做服務是在建立一種和諧的人際關係。客戶還沒有買你的東西之前，你同樣可以做服務，這是在促進客戶更相信你的產品，更相信你。而買過產品的人，你也要讓他更進一步地跟你維持一種更信賴的關係。

業務銷售祕訣▼

從推銷工作來看，售後服務本身同時也是一種促銷手段。作為業務員，你應當記住：服務，服務，再服務。為你的客戶提供如此之多的優質服務，以至於他們對想一想與別人合作都會感到內疚不已！成功的推銷生涯正是建立在這類服務的基礎上。

▶細節5

善用禮節潤滑劑，你的禮儀價值百萬

外在固然重要，而高雅的談吐和舉止則更讓人喜愛。

有些人雖然相貌漂亮，但一舉手投足便顯得俗氣，甚至令人生厭。因此，在人際活動中，要給人留下美好而深刻的印象，外在固然重要，而高雅的談吐和舉止則更讓人喜愛。這就要求我們要養成良好的姿態，做到舉止端莊、優雅懂禮。一個人的舉止是自身涵養的反射，對一名推銷人員而言，你必須要事先瞭解你的客戶所想的是什麼。對於業務員而言，在與客戶交往的過程中需要注意以下幾個基本禮節：

❶ 提早五分鐘到達

時間約定了就不要遲到，永遠比客戶提前五分鐘到達，以建立美好印象贏得信任。早到五分鐘，你可以有所準備，想想與客戶怎麼說、說什麼等，這樣也不至於見面時語無倫次。不遲到，這是一個成功的推銷人員必備的基礎，也是你博得客戶好印象的一個關鍵。

❷ 握手的禮節

一般，推銷進化論過程中，當介紹人把不認識的雙方介紹完畢時，若雙方均是男子，某一方或雙方均坐著，那麼就應站起來趨前握手；若雙方是一男一女，則男方一般不應先要求對方握手。握手時必須正視對方的臉和眼睛並面帶微笑。這裡應注意戴著手套握手是不禮貌的，伸出左手與人握手也不符合禮儀；同時握手時用力要適度，既不要太輕也不要太重。

③使用名片的禮節

一般來說，推銷人員應先遞出名片，最好在向客戶問候或做自我介紹時就把名片遞過去。幾個人共同訪問客戶時，後輩應先遞出名片，或先被介紹者先遞名片。遞名片時，應該用雙手拿名片並面帶微笑。接客戶的名片時應用雙手，接過名片後應認真看一遍，然後放入口袋或公事包裡，切不可拿在手中玩。若客戶先遞出名片，推銷人員應該先表示歉意，收起對方的名片之後再遞出自己的名片。

④打電話的禮節

推銷人員在拿起電話之前應做好談話內容的準備。通話內容應力求簡短、準確，關鍵部分要重複。通話過程中，應多用禮貌用語。若所找的客戶不在，應請教對方，這位客戶何時回來。打完電話，應等對方將電話掛斷後，再將電話掛上。

⑤聚會禮節

當推銷人員參加公司的慶功會等一些活動時，不僅要講究禮貌、道德、衛生，還要注意衣著整潔，舉止端莊，不可大聲喧嘩。如有舞會，音樂奏起，男女可互相邀請，一般是男伴邀清女伴，女伴盡可能不拒絕別人的邀請。如果女伴邀請男伴，男伴不得謝絕。音樂結束時，男伴把女伴送到她原來的座位上，並向她點頭致謝。

總而言之，要想推銷成功，就要推銷自己。要想推銷自己，必須講究推銷禮儀。

業務銷售祕訣▼

「推銷商品之前先要推銷自己」，對業務員來說，禮儀不但是社交場合的一種「通行證」，還是個人內在文化素養及精神面貌的外在表現。喬治·路德曾說過：「業務員需要從內心深處尊重你的客戶，不僅如此還要在禮儀上表現出這種尊重。否則，你就別想讓客戶對你和你的產品看上一眼。」

▶細節6

商品的恰當擺放可以激發客戶的購買欲

商品的陳列關係到客戶的購買欲望，所以擺放商品也要考慮到客戶的心理需求。

「即使是水果蔬菜，也要像一幅寫生畫那樣藝術地排列。因為商品的美感能撩起客戶的購買欲望。」這是一句法國經商諺語，講的是商品陳列的藝術。商品的陳列關係到客戶的購買欲望，所以擺放商品也要考慮到客戶的心理需求。商品陳列要注意什麼呢？下面為您介紹幾種商品陳列的方法：

❶主題陳列

主題陳列，即在佈置商品陳列時採用各種藝術、宣傳方式陳列商品，並利用聲音、色彩等突出某一商品。對於一些新產品，或者是某一時期的流行產品，以及由於各種原因要大量推銷的商品，可以在陳列時利用特定的展臺、平臺、陳列道具等將商品突顯出來使客戶能夠注意到，進而產生宣傳推廣的效果。主題陳列的商品可以是一種商品，如某一品牌的某一型號的電視，某一品牌的服裝等；也可以是一類商品，如系列化妝品、工藝禮品等。

不論是一種還是一類，應儘量少而精地擺放，與其他商品有明顯的陳列區別，以將商品突顯出來。一般在陳列時，有推銷人員配以解說，會加大商品的吸引力。

主題陳列可以配合特定的節日，將這一節日暢銷品單獨陳列，在熱鬧的節日氣氛中，加上熱烈的色彩點綴襯托氣氛，將使這類商品取得良好的銷售效果。如八月十五中秋節中秋月餅的銷售陳列；端午節粽子的銷售陳列；耶誕節聖誕用品和聖誕禮物的陳列；兒童節兒童用品和禮品的陳列等等。

❷端頭陳列

端頭即貨架兩端，這是銷售極強的陳列位置。端頭陳列即在貨架兩端進行的陳列，陳列的商品可以是單一品種商品，也可以是組合商品，後者效果更佳。

端頭陳列的商品如果是組合商品，會比單件商品取得更大的利益，所以端頭陳列應以組合式關聯性強的商品為主。

端頭陳列的注意事項：

(1) 組合陳列時商品種類不宜過多，太多則所陳列物品主題不夠突出，所以一般以五個為限。

(2) 組合的商品之間要有關聯性，決不可將無關聯的商品陳列在同一貨架內。

(3) 在幾種組合商品中選擇一種商品為犧牲品，以低廉價格出售，目的是帶動其他商品的銷售。

(4) 端頭的特殊位置可以用來專門陳列特價商品，重點推薦商品或熱賣中的商品。

(5) 可以將同一個商品在不同的陳列架上進行陳列，也就是同一商品可在不同的貨架上重複出現，但這種重複陳列必須是關聯商品組合陳列在一起。

❸突出陳列

即將商品放在籃子、車子、箱子或突出板（貨架底部可自由抽動的擱板）內，陳列在相關商品的旁邊銷售，主要目的是透過這種物品的擺放方式來誘導和招攬客戶。

突出陳列的注意事項：

(1) 突出陳列的高度要適宜，既要能引起注意，又不能太高，以免影響貨架上商品的銷售效果；

(2) 突出陳列不宜太多，以免影響客戶正常的行動路線；

(3) 不宜在窄小的通道內做突出陳列，即使比較寬敞的通道，也不要配置占地面積較大的突出陳列商品，以免影響通道順暢。

4 關聯陳列

也叫配套陳列，即將與主力商品有關聯的商品陳列於主力商品的周圍以吸引並方便客戶購買的方法。以主力商品為中心，要盡可能將與此類商品有關的商品集中在一起，這種關聯陳列可以依行業、商品特性、客戶群不同等作全面考慮。如電器商品，可採用：

用途上的關聯——如冷氣、電視、音響、錄放影設備等陳列，再如在銷售家庭裝飾用品時，把地毯、地板裝飾材料、壁紙、吊燈共同佈置成一個色調和諧、圖案美觀、環境典雅的家庭環境，形成一種裝飾樹料的有機組合，讓客戶在比較中感受到家庭裝飾對居住環境的美化作用。

附屬上的關聯——旅行用品，如電動刮鬍刀、電吹風、照相機、望遠鏡等陳列。

年齡上的關聯——老年用品助聽器、按摩器、小型電器、電熱毯、血壓機等陳列。

商標上的關聯——如某一品牌系列的嬰兒潤膚露、洗髮精、爽身粉、尿布等產品可擺放在一起。

5 懸掛陳列

用固定的或可以轉動的有掛鉤的陳列架陳列缺乏立體感的商品，一般使用於日用小商品，如刮鬍刀片、電池、手套、襪子、帽子、小五金、頭飾品等。

6 量感陳列

量感陳列一般是指商品陳列的數量的多寡。應指出只強調商品的數量並非最佳做法，現在更注重陳列的技巧，進而使客戶在視覺上感到商品很多。例如：所要陳列的商品是一百件的話，那麼量感陳列會讓客戶感覺不只一百件商品。所以，量感陳列一方面是指「實際很多」，另一方面則是指「看起來很多」。量感陳列一般適用於食品雜貨，以豐滿、親切、價格低廉、易挑選等來吸引客戶。

量感陳列的手法有很多，如店內吊籃、壁面挑選、鋪面、平臺、售貨車及整箱大量陳列等。其中整箱大量陳列是大中型超市常用的一種陳列手法。量感陳列一般在下列情況下使用：低價促銷、季節性促銷、節假日促銷、新產品促銷、媒體大力宣傳、客戶大量購買等。

7 去蓋包裝整箱陳列

即將非透明包裝商品（如整箱的飲料、啤酒、調味品等）的包裝箱的上部切除（可用斜切方式），或將包裝箱的底部切下來作為商品陳列的託盤，以充分顯示商品包裝的促銷效果。

8 散裝或混合陳列

將商品的原有包裝拆下，或單一品種或幾個品種組合在一起陳列出售，往往是以一個統一的價格或在一個較小的價格範圍內出售，這種陳列方式使客戶產生便宜感。

業務銷售祕訣▼

銷售心理學告訴我們：「大多數消費者購買商品是在想像心理支配下採取購買行動的。」聰明的業務員要學會透過商品的陳列讓客戶去發揮自己的想像，讓他們想像買到這種商品後會發生的種種可能，比如親人的一個吻、朋友的讚賞或者是給以後的生活帶來的變化等。當你的客戶被這種氣氛所打動的時候，就會對你的商品產生濃厚的興趣，這就是商品陳列營造特有氣氛所能夠達到目的的奧祕所在。

▶細節7

出奇制勝，從好奇心上下手做文章

引起客戶的注意和興趣，然後從中道出推銷商品的利益，迅速轉入洽談階段。

在市場上對於某些稀缺類商品，即使成本並不太高，價值和品質也屬於一般，但由於市場難覓此品，商家完全可以將其價位高高掛起，等候需要者購買。這類產品有些客戶願意出高價購買，正所謂「需者不貴」，商家便可以從中獲得高額利潤。在實際推銷工作中，推銷員可以先喚起客戶的好奇心，引起客戶的注意和興趣，然後從中道出推銷商品的利益，迅速轉入洽談階段。喚起好奇心的具體辦法則可以靈活多樣，儘量做到得心應手，運用自如。市場只有觀念創新才能搶得先機。眾多成功的創業者都知道，只有做到人無我有、人有我優才能在市場上搶得先機，為成功做好準備。

銷售實戰技巧▼

某大百貨商店老闆曾多次拒絕接見一位服飾推銷員，原因是該店多年來使用另一家公司的服飾品，老闆認為沒有理由改變固有的關係。後來這位服飾推銷員在一次推銷訪問時，首先遞給老闆一張便條紙，上面寫著：「你能否給我十分鐘就一個經營問題提一點建議？」

這張便條紙引起老闆的好奇心，推銷員被請進門來。他拿出一種新式領帶給老闆看，並要求老闆為這種產品報一個公道的價格。老闆仔細地檢查了每一件產品，然後作出了認真的答覆，推銷員也進行了一番講解。眼看十分鐘時間快到，推銷員拎起皮包要走。然而老闆要求再看看那些領帶，並且按照推銷員自己所報的價格訂購了一大批貨，這個價格略低於老闆本人所報價格。

好奇接近法有助於推銷員避開客戶的秘書、接待人員及其他有關職員的阻攔，敲開客戶的大門。

以下是激發好奇心應該注意的幾點：

(1) 無論利用語言、動作或其他什麼方式引起客戶的好奇心理，都應該與推銷活動有關，否則無法進入面談。

(2) 無論利用什麼辦法去引起客戶的好奇心理，必須真正做到出奇制勝。

(3) 推銷員不要自以為奇。如果推銷員自以為奇，而客戶卻不以為奇，就會弄巧成拙，增加接近的困難。

市場發展證明，有特點的、新穎的產品才能在市場上佔有一席之地。如果企業想在市場中佔據優勢，那麼不斷地推陳出新，創造出新穎的、滿足消費者需要的產品是必由之路。

業務銷售祕訣▼

發現客戶的好奇心，找到其關注或熟悉的事物，以此作為切入點進行溝通，大多都能夠順利打開客戶的心扉，進而順利實現銷售的目的。

▶細節8

銷售工具箱，道具不可少

推銷員一定要做好準備工作，除了儀表整潔之外，還要準備好相關的銷售工具。

許多推銷員跑到公司去拜訪，因為事先沒有做好準備，於是就常常出現以下尷尬的場面：

一位推銷員向被訪公司經理敬菸，菸遞上去了，一摸口袋，卻發現自己沒帶打火機……

一位在大熱天來訪的推銷員，臉上淌著汗，因為忘了帶手帕，無法擦拭，有一位女職員看不過去，就遞了手巾給他，讓這個推銷員慚愧得不知如何是好……

一位推銷員，當他告辭時嘴裡像蚊子叫似的不好意思地說：「對不起，是不是可以借我一點錢打車回去？」一邊說著，一邊難為情地面紅耳赤……

因此，推銷員一定要做好準備工作，除了儀表整潔之外，還要準備好相關的銷售工具，例如名片、產品樣品、說明書、附贈品、價格表、訂貨單等。在推銷產品時，如果能適當地運用這些輔助的銷售工具，將會大大增強你的推銷效果，甚至讓你收到意想不到的效果。

銷售實戰技巧▼

CPB公司總裁柯林頓·比洛普在二十幾歲的時候便擁有了一家小型的廣告與公關公司。為了多賺一點錢，他同時也為康乃迪克州西哈福市的商會推銷會員證。在一次特別的拜會中，他會晤了一家小布店的老闆。這位工作勤奮的小老闆是土耳其的第一代移民，他的店鋪離那條分隔哈福市與西哈福市的街道只有幾步路的距離。

「你聽著，年輕人。」他以濃重的口音對柯林頓說道，「西哈福市商會甚至不知道有我這個人。我的店在商業區的邊緣地帶，沒有人會在乎我。」

「不，先生，」柯林頓繼續說服他，「你是相當重要的企業人士，我們當然在乎你。」

「我不相信，」他堅持己見，「如果你能夠提出一丁點兒證據反駁我對西哈福市商會所下的結論，那麼我就加入你們的商會。」

柯林頓注視著他說：「先生，我非常樂意為你做這件事。」然後，他拿出了一個準備好的大信封。

柯林頓將這個大信封放在小布店老闆的展臺上，開始重複一遍先前與小老闆討論過的話題。在這期間，小布店老闆的目光始終注視著那個信封袋，滿腹狐疑，不知道裡面到底是什麼。

最後，小布店老闆終於無法再忍受下去了，便開口問道：「年輕人，那個信封裡到底裝了什麼？」

柯林頓將手伸進信封，取出了一塊大型的金屬牌。商會早已做好了這塊牌子，用於掛在每一個重要的十字路口上，以標示西哈福商業區的範圍。柯林頓帶著他來到窗口，說：「這塊牌子將掛在這個十字路口上，這樣一來客人就會知道他們是在這個一流的西哈福區內購物。這便是商會讓人們知道你在西哈福區內的方法。」

一抹蒼白的笑容浮現在小布店老闆的臉上。柯林頓說：「好了，現在我已經結束了我的討價還價了，你也可以將支票簿拿出來結束我們這場交易了。」小布店老闆便在支票上寫下了商會會員的入會費。

透過這次經歷，柯林頓體會到：「做推銷拜訪時帶著道具，是一種吸引潛在客戶目光的有效方式。」喬．吉拉德也指著自己隨身攜帶的工具箱說：「如果讓我說出我發展生意的最好辦法，那麼，我這個工具箱裡的東西可能不會讓你吃驚，我會隨時為銷售做好各種準備工作。」

精心準備那些在銷售過程中可能需要的一切銷售道具吧，這無疑將為你的銷售成功打下良好的基礎。因為，精心準備好銷售工具，既能讓客戶感受到推銷人員的誠意，又可以幫助推銷人員建立良好的形象，形成友好、和諧、寬鬆的洽談氣氛，有利於推銷工作更加順利地開展。

業務銷售祕訣▼

西班牙作家賽凡提斯曾經說過：「要預先警覺、預先武裝好；充分的準備是成功的一半。」作為業務員，在與客戶交談前的準備工作決定了業務員接下去的行動是否能夠順利地進行。有了提前安排，才不至於給客戶造成心理上的不安。對拜訪客戶的習慣、好惡等資料有所掌握，才會在見面交談時瞭解客戶的心理動向，避免說出令客戶不愉快的話，造成不必要的尷尬。

活得好 38

3分鐘一張訂單的終極銷售技巧

71種最實用的銷售技巧，讓你輕鬆成為超級業務員！

作　　者　宋振赫
顧　　問　曾文旭
總 編 輯　吳國鏞
編輯總監　丁莊敬
文字編輯　王玉琪
美術編輯　盧奕彣

印　　製　世和印製企業有限公司
初　　版　2013年06月
出　　版　凱信企業管理顧問有限公司
電　　話　（02）6636-8398
傳　　真　（02）6636-8397
地　　址　106 台北市大安區忠孝東路四段218-7號7樓

定　　價　新台幣260元／港幣87元

總 經 銷　創智文化有限公司
地　　址　236 新北市土城區忠承路89號6樓
電　　話　（02）2268-3489
傳　　真　（02）2269-6560

港澳地區總經銷　和平圖書有限公司
地　　址　香港柴灣嘉業街12號百樂門大廈17樓
電　　話　（852）2804-6687
傳　　真　（852）2804-6409

國家圖書館出版品預行編目資料

3分鐘一張訂單的終極銷售技巧 / 宋振赫
作. -- 初版. -- 臺北市 : 凱信企管顧問,
2013.06
　面；　公分
ISBN 978-986-5916-22-0(平裝)

1.銷售 2.行銷心理學 3.消費心理學
496.5　　　　　　102008650

讀者回函卡

親愛的讀者，感謝您購買《3 分鐘一張訂單的終極銷售技巧》歡迎您針對本書內容填寫讀者回函卡，以作為我們日後出版方向的參考，我們將不定期寄發新書相關活動資訊給您，並持續為出版膾炙人口的好書努力。再次感謝您的支持！祝福您有個美好的閱讀時光！

您的姓名：＿＿＿＿＿＿ 聯絡電話：＿＿＿＿＿＿

傳　　真：＿＿＿＿＿＿ e-mail：＿＿＿＿＿＿

出生日期：＿＿＿年＿＿＿月＿＿＿日

您的學歷：□高中及高中以下 □專科與大學 □研究所以上

您的職業：□製造業 □銷售業 □金融業 □資訊業 □學生
□大眾傳播 □自由業 □服務業 □軍警 □公務員 □教職員 □其他

您在何處購得本書：□金石堂書店 □誠品書店 □大賣場 □一般門市 □網路書店
□K-shop

您為何購買本書（可複選）：

□親朋好友介紹 □內容吸引人 □主題特別 □促銷活動 □作者名氣

□書名 □封面設計 □整體包裝 □網際網路：網址＿＿＿＿＿＿

□其他＿＿＿＿＿＿

＿＿＿＿＿＿

您對這本書的評價：□很好 □好 □普通 □差

您會推薦本書給朋友嗎？□會 □不會 □沒意見

您最想看哪些作者、題材的書：＿＿＿＿＿＿

＿＿＿＿＿＿

＿＿＿＿＿＿

您最感到頭痛的生活問題是什麼：＿＿＿＿＿＿

＿＿＿＿＿＿

＿＿＿＿＿＿

給予我們的建議：＿＿＿＿＿＿

＿＿＿＿＿＿

＿＿＿＿＿＿

＿＿＿＿＿＿

請沿線剪下來

請貼郵票

106
台北市大安區忠孝東路4段218-7號7樓
凱信企業管理顧問有限公司 收
電話：02-6636-8398

請沿線剪下來

請沿線反折、裝訂並寄回本公司

寄件人：＿＿＿＿＿＿＿＿＿＿＿＿＿＿＿＿

地址：□□□ ＿＿＿＿＿＿＿＿＿＿＿＿＿＿＿＿

凱信企管

生命中可以沒有茶香，但，絕對不能缺少書香。